de
bijbel
in
huis

de bijbel *in* huis

Bijbelse verhalen op huisraad in de zeventiende en achttiende eeuw

Waanders Uitgevers, Zwolle
Rijksmuseum Het Catharijneconvent, Utrecht

Uitgave bij de gelijknamige tentoonstelling, gehouden
in het Rijksmuseum Het Catharijneconvent te Utrecht,
van 14 december 1991 tot en met 8 maart 1992

Samenstelling tentoonstelling en catalogus:
T.G. Kootte

pagina 2: 1 Vriendschapsglas met David en Jonathan
(cat. nr. 154)

Inhoudsopgave

2 Rembrandt van Rijn, De doop van de kamerling (cat. nr. 1)

Voorwoord

Een Rembrandt in huis. In alle opwinding rond Rembrandt kan men wel eens vergeten dat veel van Rembrandts schilderijen bedoeld waren voor een huiselijke omgeving. Rembrandts jeugdwerk De doop van de kamerling is er een voorbeeld van en vormt dan ook het eerste stuk op de tentoonstelling *De bijbel in huis*. Schilderijen als van Rembrandt en tijdgenoten waren echter niet de enige afbeeldingen van bijbelverhalen waarmee de 17de-eeuwer zich in huis omringde. Bijbelse geschiedenissen vond men ook afgebeeld op meubilair en ander huisraad. Dit gegeven is uitgangspunt geworden voor de expositie in Het Catharijneconvent.

De aanleiding voor deze tentoonstelling vormde een vraag van medewerkers van het Joods Historisch Museum om in samenwerking met hen een expositie te organiseren die zou aansluiten op de grote Rembrandt-tentoonstelling in het Rijksmuseum. De bedoeling was, de bijbelse thematiek van Rembrandts schilderijen in een cultuurhistorische context te plaatsen. Terwijl Het Catharijneconvent de bijbelse verhalen op huisraad in beeld brengt, koos men in het Joods Historisch Museum ervoor het Oude Testament in de schilderkunst rond Rembrandt centraal te stellen in de expositie *Het Oude Testament in de schilderkunst van de Gouden Eeuw*.

Naast de tentoonstellingen in het Joods Historisch Museum en Het Catharijneconvent zullen in diverse steden nog meer parallelexposities te zien zijn. In Het Rembrandthuis te Amsterdam is dat *Pieter Lastman, leermeester van Rembrandt*, in het Stedelijk Museum de Lakenhal te Leiden *Rembrandt en Lievens in Leiden* en in het Mauritshuis te Den Haag *Bredius en Rembrandt in het Mauritshuis*.

De organisatie van de expositie in Het Catharijneconvent lag grotendeels in handen van mevrouw T.G. Kootte. Zij bepaalde de uiteindelijke keuze van de voorwerpen en had de supervisie op de inrichting, daarbij geassisteerd door mevrouw J.W.G. Haverkamp. Bovendien voerde zij de redactie van de catalogus, daarbij geassisteerd door de heren C.J.F. van Schooten en N.H. Koers. Uitgeverij Waanders, waarop in een laat stadium een beroep werd gedaan, was bereid de uitgave op zich te nemen.

De realisatie van de tentoonstelling was alleen mogelijk door de bereidheid van vele bruikleengevers om hun stukken aan ons in bruikleen af te staan. Op sommigen onder hen werd een zeer groot beroep gedaan, waarna zij toch zo welwillend bleken om een flink aantal kunstwerken naar Utrecht te laten gaan.

De layout van het affiche en de folder lag in handen van mevrouw R. Borman. De Centrale Volksbank maakte het drukken van het affiche, de Nederlandse Spoorwegen de verspreiding ervan over de stations door een financiële bijdrage mogelijk. Educatief medewerker mevrouw J.W.G. Haverkamp stelde, in samenwerking met de heer R. Levie van het Joods Historisch Museum, een lespakket samen voor de laatste groep van het basisonderwijs. De heer N.H.Koers tekende voor het samenstellen van het audiovisuele programma.

Alle bruikleengevers en iedereen die op enigerlei wijze aan deze tentoonstelling heeft bijgedragen, wil ik van harte dankzeggen voor hun inzet en toewijding.

H.L.M. Defoer

3 Plaquette met Christus geneest een blinde (cat. nr. 172)

Verantwoording

Niet voor niets kreeg de tentoonstelling *De bijbel in huis* de ondertitel: *bijbelse verhalen op huisraad in de 17de en 18de eeuw.* De expositie wil er immers een beeld van geven hoe geschiedenissen uit de bijbel te vinden waren op kisten en kasten, tafellakens en tapisserieën, zilver en aardewerk.

De grote invloed die de bijbel had op het dagelijks leven in ons land was al eens onderwerp van een tentoonstelling. De expositie *Bijbels en burgers. Vijf eeuwen leven met de bijbel* (Het Prinsenhof, Delft 1977) toonde een veelheid aan materiaal dat de betekenis van de bijbel in de Nederlanden illustreerde. Gekozen wordt nu voor een beperktere opzet: het gaat om de verbeelding van de bijbelverhalen in huis. Welke geschiedenissen uit de bijbel kwamen terecht op voorwerpen uit de huiselijke omgeving?

De oorspronkelijke bedoeling was te laten zien hoe men zich in Rembrandts tijd omgaf met allerlei bijbelse voorstellingen op huisraad. Al spoedig werd echter duidelijk dat we de begrenzing in tijd ruimer moesten nemen.

De tentoonstelling *Helse en hemelse vrouwen* (Het Catharijneconvent, 1988) vestigde onder meer de aandacht op het voorkomen van voorbeeldige bijbelse vrouwen op 16de-eeuws huisraad. Dergelijke bijbelse voorbeelden, overigens van zowel mannen als vrouwen, komen ook voor op huiselijke voorwerpen uit Rembrandts tijd, en bleven nog lang te zien op voorwerpen uit de zg. volkskunst. Tentoonstellingen als *Paneel en penseel* en *Volkskunst en voorbeeld* (beide in Het Zuiderzeemuseum, resp. 1960 en 1970) toonden de rijkdom van de met bijbelse voorstellingen beschilderde 18de-eeuwse kasten, uit de Zaanstreek, de omgeving rond Hindeloopen en van Ameland. Destijds werd gewezen op de grote invloed die prenten en prentbijbels op de decoraties hebben gehad. L.F. Triebels is een der eersten geweest die oog had voor de oorsprong van de motieven op het beschilderde huisraad; zijn werk op dat terrein lijkt evenwel nauwelijks voortgezet.

In het kader van de voorbereiding van een tentoonstelling voerde het helaas te ver om van elke voorstelling op huisraad de iconografische ontwikkeling te onderzoeken. Nu echter de volkscultuur volop in de belangstelling staat, mogen we verwachten dat de kleurrijke uitingen ervan ook weer bestudeerd zullen worden.

De catalogus kan dienen als een eerste aanzet daartoe, maar is toch vooral ook samengesteld om de tentoonstellingsbezoeker breder over het onderwerp te informeren. O.J. de Jong beschrijft hoe de bijbel zijn weg vond van de kerk naar de huiskamer. W.C.M. Wüstefeld geeft een overzicht van de bijbels die te vinden waren in de Lage Landen en behandelt vooral de ingewikkelde materie van de prentbijbels, die als voorbeeld dienden voor menig kunstenaar en ambachtsman. I.M. Veldman geeft aandacht aan de vraag hoe bijbelse thema's, met name die van het Oude Testament, via de prentkunst verbreid werden. H.L.M. Defoer laat de weerslag van deze ontwikkeling zien op het Nederlandse interieur. J.R. Jas tenslotte belicht het beschilderde meubel van de 17de en 18de eeuw.

Met de bijbelse geschiedenissen is men niet altijd meer vertrouwd. Een aantal veel voorkomende bijbelverhalen is daarom samengevat door N.H. Koers. De voorwerpenlijst is van ondergetekende; de daarin opgenomen bijbels zijn beschreven door W.C.M. Wüstefeld.

Voor de spelling van bijbelse namen is in deze catalogus zo veel mogelijk gebruik gemaakt van *Bijbelse namen. Lijst van bijbelse persoons- en plaatsnamen*, 5e dr., Haarlem, Brussel 1988.

T.G. Kootte

4 Statenbijbel met ingebonden prenten met voorstellingen van de vijf dwaze en vijf wijze meisjes en de gelijkenis van de talenten (cat. nr. 82)

Van de kerk naar de huiskamer

Het begin ligt ver buiten Nederland.[1] Op 1 januari 1519 preekte in Zürich de priester Huldrych Zwingli voor het eerst in de kerk van het Grossmünster, het voornaamste kapittel van die stad. Drie weken eerder hadden de kanunniken hem tot hun preekpriester bij die kerk aangesteld. Dat was op zichzelf niets bijzonders, het betrof een vast ambt zoals meer kapittels dat kenden en financierden om hun instelling ook een zekere functie in de stadsbevolking te geven. Het preken ging volgens een vast rooster: elke zondagmorgen, iedere feestdag en bovendien bij alle heiligendagen kwam een bepaald stuk uit de evangeliën aan de orde, voorafgegaan door een gedeelte uit de nieuwtestamentische brieven. Het waren korte lezingen, kleiner dan de hoofdstukken waarin de bijbeltekst was ingedeeld. De kanunniken verwachtten niet anders dan dat Zwingli volgens dat vaste, in de liturgie verankerde, preekprogram zou gaan werken: zo hoorde het immers bij een al eeuwenoude traditie. Maar dat pakte anders uit. Hij verklaarde aan de vergaderende kapittelheren dat hij van plan was, het evangelie naar Matteüs achter elkaar door te preken, van begin tot eind, en dat hij die stukken wilde verklaren vanuit de bijbel, niet met wat er later allemaal bij was bedacht door mensen. En aldus is hij inderdaad op nieuwjaarsdag 1519 begonnen met Matteüs 1, en heeft hij die manier van behandeling bijna dag na dag voortgezet.

Hij vatte dus zijn preektaak anders op dan zijn werkgevers hadden bedoeld: geen verkondiging van in liturgisch verband geplaatste losse bijbelstukjes, maar uitleg in de vaste tekstvolgorde van een compleet boek. Zwingli had zich gerealiseerd hoe weinig zijn hoorders werkelijk van die bijbel wisten. De gebruikelijke preekmethode gaf hun, jaar in jaar uit, een vaste maar beperkte selectie van min of meer aansprekende verhalen, maar daar bleef het bij. Zwingli wist ook dat alleen de zeer gegoeden zich een gedrukte bijbel konden permitteren en hoevelen er waren die zo'n gedrukte tekst niet eens konden lezen. Dan moest de prediking veel meer informerend en catechiserend worden. De beste manier om de mensen in hun geloof te helpen, op te voeden, was volgens Zwingli door niets van de waarheid achter te houden, niets uit te kiezen. Dus: lezing en verklaring achter elkaar door, dag in dag uit. Toen hij met het evangelie naar Matteüs klaar was, begon hij de Handelingen der Apostelen door te nemen; daarna volgden de twee brieven aan Timoteüs, de brief aan de Galaten, de twee brieven van Petrus, de brief aan de Hebreeën. Dat was een weloverwogen keus om de gemeente op te bouwen, geen mechanisch doorlezen van de boeken zoals ze in de bijbel achter elkaar stonden.

Na verloop van een aantal jaren hadden Zwingli's collegae in de andere stadskerken die preekmethode overgenomen, zonder dat ze gelijk op werkten. De inwoners van Zürich konden dus zeer divers over de bijbel worden ingelicht.

De gehele bijbel

Over de bijbel, niet enkel over het Nieuwe Testament. Dat was de volgende, en even principiële, stap die Zwingli als eerste deed: ook boeken van het Oude Testament moesten op dezelfde manier aan de beurt komen. Daar zat bij hem de overtuiging achter, dat heel de bijbel een enkel, alomvattend verbond tussen God en de mensen predikte, en dat dus die boeken van het Oude Testament evenveel verkondiging bevatten en evenveel aandacht verdienden. Gedeelten van dat Oude Testament waren ook vroeger in de liturgie gelezen, en verhalen daaruit werden ook vroeger in de prediking aangehaald om de prediking uit het Nieuwe Testament te illustreren en te onderbouwen. Maar voor Zwingli stond vast dat de gelovenden nu bekend moesten raken met de gehele bijbelse boodschap, en dus ook volledige boeken uit het Oude Testament moesten horen bespreken. Zijn keus uit het Oude Testament werd vermoedelijk net als die uit het Nieuwe, bepaald door pastorale motieven: hij merkte zelf waar zijn hoorders aan toe waren en wat zij nodig hadden.

Daar ligt het begin van wat in Genève door Calvijn is voortgezet en wat via Genève in West-Europa bekend is geraakt. Ook al konden de mensen niet lezen, ook al konden ze misschien geen bijbel betalen, ze kregen toch in de kerkdiensten zoveel als maar mogelijk was uit die gehele bijbel te horen. Toen die Geneefse vorm van reformatie zich in de Nederlanden doorzetten kon, dus na 1572, is die vorm van snelle geloofsinstructie ook hier

5 Interieur van de Nieuwezijdskapel te Amsterdam, ca. 1660 (RMCC s 11)

overgenomen. Op de provinciale synode van Dordrecht van 1574, waar enkel nog maar Zuid-Holland en Zeeland vertegenwoordigd waren, werd vastgesteld, dat de gemeenten vrij zouden zijn om voor de aanvang van de zondagse kerkdiensten psalmen te zingen of ook 'te lesen', dat wilde zeggen: iemand uit de bijbel te laten voorlezen. 'Doch daer men leest, sal men alleen de canonijcke boecken opentlicke den volcke voorlesen' – dus de zgn. apocriefe boeken kwamen niet aan de orde – 'ende soodane, als de consistorie oordelen sal der ghemeijnte stichtelickste te weesen' – dus die voorlezer mocht niet een eigen keus uit de boeken maken, maar de kerkeraad besliste welke bijbelboeken het beste gelezen konden worden – 'doch dat men toe sie van lesen ende singhen op te houden teghen d'wre' – dus de voorlezer of ook de voorzanger moest bijtijds ophouden voordat de dienst werkelijk begon, en ook dat was heel wijs van die synode.

De prediking in de kerkdienst en de voorlezing voor die dienst waren dus al vroeg de vormen waardoor de gemeenschap vertrouwd kon raken met de inhoud van de gehele bijbel. In een betrekkelijk kleine ruimte zal zo'n bepaling aangaande de voorlezing wel enigszins aan haar bedoeling beantwoord hebben. Of die in grote stadskerken ook goed heeft kunnen functioneren, is zeer de vraag: wat bleef er van verstaanbaarheid over als nog voortdurend mensen binnenkwamen, elkaar begroetten en met elkaar doorkeuvelden zolang de predikant nog niet 'op de stoel' was? Maar het feit bleef dat predikanten van het gereformeerd protestantisme gehele boeken van de bijbel achter elkaar konden behandelen en dat hun hoorders aldus vertrouwd konden raken met de samenhang en volgorde van de verhalen. Die kerkelijke gewoonte bleef in zwang, ook toen meer mensen zelf hadden leren lezen en er bijbels te koop kwamen, m.a.w. ook toen sommige gezinshoofden thuis aan tafel na de maaltijd zelf uit die bijbel een hoofdstuk gingen voorlezen, boek na boek. Na de maaltijd: dat betrof soms iedere maaltijd, soms alleen de hoofdmaaltijd. Dit werd natuurlijk de meest indringende manier waarop de bijbeltekst bekend kon worden: bij een lezing éénmaal per dag kwam hetzelfde hoofdstuk na ruim drie jaar weer aan de orde.

Het best geïnformeerd aangaande de inhoud van de gehele bijbel moeten de gemeenteleden van Middelburg zijn geweest. Daar hadden de twaalf dominees namelijk de extra plicht van het zogenaamde 'kapittelpreken'. Net als hun vakgenoten elders moesten ze 's zondags en in de werkweek preken. Maar in de Nieuwe Kerk onder de Lange Jan waren dinsdag- en donderdagsavonds speciale diensten waarin de hele bijbel werd doorgepreekt: iedere week een hoofdstuk waarover dan de dominee die aan de beurt was, tweemaal preken moest. Twaalf weken later stond hij dan weer voor die taak. Gewijde rekenaars, die er toen in overvloed waren, konden aan de te Middelburg beroepen predikanten voorrekenen dat, daar de bijbel zo tegen de 1200 hoofdstukken telde en bovendien Psalm 119 wegens zijn lengte over 22 weken was verdeeld, men pas na zo'n 24 jaar weer aan hetzelfde bijbelgedeelte toekwam. De Maastrichtse predikant W.A. Bachiene, die dit in 1770 beschreef, merkte daarbij op: 'Derhalven moeten de Predikanten binnen die Stad zo veele jaren aldaar gestaan hebben, eer zy andermaal van hunnen daartoe aangewenden arbeid zich konnen bedienen'. Hij nam kennelijk aan dat predikanten zo lang op deze stadsplaats bleven, dat al dit exegetisch voorwerk dan nog niet verouderd was en hoopte misschien ook dat de hoorders de inhoud intussen wel vergeten waren. Het doet denken aan recordpogingen thans, maar dit voorbeeld toont zeker, op hoe hoge prijs speciaal het calvinisme bekendheid met de gehele bijbel stelde.

Zoals gezegd: in de lezing bij de dagelijkse maaltijd(en) schoot men vlugger op dan in de kerkdiensten het geval kon zijn, en waar er niet veel andere lectuur was – of bewust niet werd aangeschaft – concentreerde de gesprekstof van veel gelovigen zich op bijbelse onderwerpen, en werd er bij geloofsverschillen geargumenteerd met bijbelteksten die men paraat had. Waar binnen het Nederlandse protestantisme de gereformeerde invloed overwoog, stonden teksten uit het Oude en Nieuwe Testament op één lijn, ging het verband waarin ze historisch stonden er weinig toe doen, want ze hadden alle dezelfde geldigheid. Hier lag het verschil in bijbelgebruik met de rooms-katholieke of de lutherse traditie, waar het Nieuwe Testament een zekere meerwaarde had en het Oude alleen bij gedeelten werd aangehaald. Bovendien bestond in die kringen niet de gewoonte van een continu bijbellezen: de rooms-katholieken hadden hun eigen devotievormen voor de huiselijke kring, en de luthersen richtten zich voor hun bijbellezen meer naar de tijden van het kerkelijk jaar.

Een andere wijze van bijbelgebruik

Zo kan globaal de toestand van de 16de en 17de eeuw worden gekarakteriseerd. Uit die rijke bijbelkennis, uit die speciale, bredere vertrouwdheid met het Oude Testament laat zich veel verklaren van wat op wandtegels, gravures, haardplaten en op gebruiksvoorwerpen soms werd aangebracht. Vanouds kenden de kerken ook een zinnebeeldige uitleg van bepaalde gebeurtenissen of verhalen: zinnebeeldig ten behoeve van de geloofsleer of ook ten behoeve van het innerlijk leven. Dan gaf het prentje met zo'n bijbels afbeelding aanleiding tot een vrome overdenking, tot een simpel gedicht. Maar ook kon het omgekeerde gebeuren: dat een bijbeltekst werd geïllustreerd met een plaatje uit het alledaagse leven. Jan Luyken gaf er overvloedig voorbeelden van dat ook zo de bijbel in huis functioneerde: dan preekte het onderschrift.

Maar ondanks het feit dat de gewoonte van de continue gezinslezing werd gehandhaafd, kwam er in de 18de eeuw toch een andere manier van bijbelgebruik naar voren. De vraag werd gesteld naar het persoonlijk ervaren van het gelezene, naar het zich innerlijk durven toeëigenen van die bijbelteksten. Daartoe leende de gezinssituatie zich slecht; het ging nu meer om een individueel overwegen, wat dan eventueel in kleine kring van van gelijkgezinden kon worden besproken. Zulke groepen wilden soms iets anders in die bijbeltekst horen dan wat de predikant verkondigde. Ze grepen naar oudere uitleggingen waarin ze zich meer herkenden. Maar de meest principiële verandering kwam vanuit de groep van de Herrnhutters, de Broedergemeente van de graaf Von Zinzendorf, die ook hier te lande, namelijk in Zeist, een centrum kreeg. Von Zinzendorf had bij zijn groep ingevoerd dat er jaarlijks voor elke dag bij loting een zogenaamde dagtekst werd aangewezen, een richtinggevende zin uit het Oude Testament, waaraan dan een zin uit het Nieuwe Testament en een strofe uit hun liederenbundel werd toegevoegd. Dit gaf vorm aan het geloofsleven van elke dag, gaf houvast voor de enkeling en wilde de onderlinge gesprekken op Christus richten. Bij die losse teksten werden losse hoofdstukken ter bijbellezing gezocht omdat het thema de dag bepaalde. Maar in gereformeerde kring was de ontvankelijkheid voor zo'n methode niet groot.

Of die lezing nu gebeurde uit, aan de dagtekst gekoppelde, losse hoofdstukken dan wel uit aaneensluitende bijbelboeken, beide vormen veronderstelden in elk geval, dat elk gezin kon beschikken over een bijbel en dat er in elk gezin iemand was die kon lezen. Het tweede was gemakkelijker te verwerkelijken dan het eerste, want via de scholen in stad en land leerden de kinderen de lettervormen van psalmboek en bijbel wel kennen al was het leren schrijven er voor sommigen niet bij. Maar het dikke boek bleef duur, omdat de uitgave afhankelijk was van de privileges van de drukkers en uitgevers, dus eigenlijk alleen betaalbaar voor diegenen die zich ook de aanschaf van bescheiden kunst of van versierde gebruiksvoorwerpen konden permitteren.

De bijbel in huis

Het klonk vroom-vermanend, toen Nicolaas Beets, of liever Hildebrand, in de *Camera Obscura* bij een beschrijving van de bijbellezing door zijn 'oom' Stastok verzuchtte: 'Eerwaarde gewoonte! Waarom is zij zoo bijna uitsluitend tot de burgerlijke huishoudens bepaald, en raakt zij ook zelfs daar meer en meer in onbruik'. Met dat in onbruik raken viel het ook na 1839 wel mee, maar bij dat roemen over 'de burgerlijke huishoudens' had Hildebrand zich af mogen vragen of de andere huishoudens ooit de middelen hadden gehad om tot zo'n eerwaardige gewoonte te komen. De edities van de Statenbijbel vormden een pronkstuk, en wie die had gekocht of geërfd, schreef soms op de schutbladen de data van de gezinsleden, generatie na generatie. Maar het gebruik van zo'n familiestuk was aan de gegoede burgerij – en hoger! – voorbehouden.

Het geboortejaar van Beets, 1814, was ook het oprichtingsjaar van het Nederlands Bijbelgenootschap, dat zich in navolging van het Britse ten doel stelde, de bijbel goedkoop verkrijgbaar te stellen of zelfs gratis aan te bieden. Daardoor pas werd nu mogelijk, dat ook armeren lezend met de bijbeltekst vertrouwd raakten. Hildebrand stelde de vroegere situatie te zonnig voor met zijn 'Eerwaarde gewoonte'. Het was vóór 1800 heus geen algemeen gebruik. Bij de meerderheid van de bevolking was de bijbelkennis toen nog afhankelijk van het kunnen horen van de voorlezing voorafgaand aan de kerkdiensten, van de uitvoerige en soms overmatig geleerde uitleg vanaf de preekstoel of van lezen op school. De bijbel in huis, zeker, maar een doorbraak daarheen zou toch echt pas in de 19de eeuw komen, toen bijbels aan zondagsschoolkinderen en soldaten werden uitgereikt, toen er dagboekjes kwamen en scheurkalenders met meditaties, een werk waar Beets zelf volop aan meedeed toen hij, eenmaal dominee geworden, zijn *Stichtelijke Uren* ging uitgeven. Toen pas, omstreeks 1850, kwam de bijbel echt in de huiskamers terecht, maar dat was bepaald niet de meest gunstige periode om grote kunstenaars nog te inspireren.

O.J. de Jong

1. Voor dit artikel is gebruik gemaakt van: G.R. Potter, *Zwingli*, Cambridge 1976; Gottfried W. Locher, *Die Zwinglische Reformation im Rahmen der europaïschen Kirchengeschichte*, Göttingen 1979; F.L. Rutgers (ed.), *Acta van de Nederlandsche synoden der zestiende eeuw*, Utrecht 1889; W.A. Bachiene, *Kerkelyke Geographie der Vereenigde Nederlanden*, Amsterdam 1768-1773; Jaakke/Tuinstra (red.) 1990.

6 De droom van Jakob. Houtsnede uit de Vorstermanbijbel (cat. nr. 28)

Welke bijbel in huis? Over bijbels en prentbijbels

De periode die wij kennen als onze Gouden Eeuw, is tevens de periode van de 'gouden eeuw' van het Nederlandse geïllustreerde boek.[1] Bijbels, krijgskundige werken, liedboeken, letterkundige en historische werken, moraliserende gedichten, emblemata etc. werden door diverse Nederlandse drukkers – in deze tijd wel beschouwd als de beste van Europa – in rijk geïllustreerde uitgaven op de markt gebracht. In dit artikel zullen we een aantal van de diverse soorten geïllustreerde bijbels de revue laten passeren die in de 17de en 18de eeuw zo'n belangrijke invloed hebben gehad, niet alleen op de gewone leek, maar ook op kunstenaars en ambachtslieden die de bijbelse illustraties zo vaak als voorbeelden gebruikt hebben.

Bijbelverhalen zijn reeds vroeg af- en uitgebeeld. Zo werden op muren en ramen van kerken of in toneelspelen scènes uit het leven van Christus voorgesteld vaak in verbinding met voorbeelden uit het Oude Testament. Hetzelfde gebeurde ook in boeken, waarin afbeeldingen de teksten illustreerden. Vóór de uitvinding van de boekdrukkunst waren dit miniaturen in handschriften. Later, in de eerste gedrukte werken, waren dit houtsneden en gravures als losse prentjes of platen ingebonden of binnen de tekst afgedrukt. De eerste geïllustreerde gedrukte boeken uit ons land, de zogenaamde blokboeken, bestonden uit bladgrote houtsneden waarin korte teksten waren verwerkt. De meest bekende hiervan is de zogenaamde *Biblia Pauperum*, de Armenbijbel (ca. 1440-1460), een boek met scènes uit het leven van Christus, geflankeerd door voorafbeeldingen uit het Oude Testament (afb. 22). Dit boek wordt wel beschouwd als de oudste prentbijbel. Terwijl in de 15de en 16de eeuw voor de afbeeldingen de houtsnede de meest gangbare techniek was, werd in de 17de eeuw vrijwel steeds voor de kopergravure gekozen.

Het illustreren van bijbeluitgaven kende in de Nederlanden een bijzondere traditie. In de 15de eeuw verschenen, onder invloed van de moderne devotie, de zogenaamde historiebijbels met talrijke afbeeldingen. Was toen Utrecht het centrum van produktie van geïllustreerde bijbels, in de 16de en 17de eeuw werd deze rol in het noorden overgenomen door Amsterdam en in het zuiden door Antwerpen. Hier werkten de belangrijkste kunstenaars en uitgevers. Vooral de uitgevers, die vaak ook drukker waren, zijn voor het maken van geïllustreerde boeken van cruciaal belang geweest. Zij namen de initiatieven, kozen de graveurs, droegen de financiële risico's en zorgden voor de verspreiding.

Bijbels en bijbelteksten

Vóór de uitvinding van de drukkunst waren boeken alleen beschikbaar voor de enkeling. Met de opkomst van het gedrukte boek en de ontwikkeling van het onderwijs, groeide de vraag en nam de verspreiding op grote schaal toe. De 16de eeuw was een tijd van religieuze disputen waarin het boek der boeken, de bijbel, en zijn vele vertalingen een belangrijke rol speelde. De eerste in het Nederlands gedrukte bijbel, de zogenaamde Delftse bijbel, verscheen in 1477. Dit boek is niet geïllustreerd en daarbij onvolledig; de apocriefen, de psalmen en het Nieuwe Testament ontbreken. De eerste twee volledige bijbels die in de volkstaal gedrukt zijn, ontstonden ten oosten en noorden van ons land in Keulen (1479) en Lübeck (1494). De teksten waren respectievelijk in Nedersaksisch en Westnederduits dialect geschreven en met 113 en 123 houtsneden geïllustreerd. Deze bijbeluitgaven hebben generaties lang als voorbeeld gediend voor zowel reformatorische als katholieke bijbels.

In de loop der eeuwen was de bijbeltekst vermengd met allerlei apocriefe verhalen, bijvoorbeeld over Alexander de Grote maar ook over het leven van Jezus. Toen de behoefte aan een goede bijbelvertaling in de volkstaal steeds groter werd, werd langzamerhand ook duidelijk dat men voor een goede bijbeltekst terug moest gaan naar de grondteksten in het Hebreeuws en Grieks. Luther vertaalde in 1522 het Nieuwe Testament met behulp van de uitgave die Erasmus had gemaakt uit het Grieks in het Latijn; Luthers vertaling van het Oude Testament kwam in 1534 gereed. De Lutherbijbel werd uitgegeven door Lucas Cranach die tevens de illustraties verzorgde naar prenten van Albrecht Dürer. Het werk kende een geweldige populariteit en is van onschatbare waarde geweest voor latere bijbelvertalingen.

In de loop van de 16de eeuw ontwikkelde zich een bijna niet te controleren markt van bijbeluitgaven. Diverse vertalingen waren voorhanden – sommige vol met drukfouten – met of zonder goedkeuring van de kerkelijke en wereldlijke overheden. Dubieus geachte interpretaties maakten het bezit van bepaalde bijbels lang niet altijd zonder gevaar voor eigen leven. Zo gaf de Antwerpse drukker Jacob van Liesveldt in 1526 een volledige Nederlandstalige bijbel uit naar de Duitse vertaling van Luther voor zover gereed, aangevuld met teksten van de Vulgata[2] en de Keulse bijbel voor de nog niet door Luther vertaalde gedeelten (cat. nr. 27, afb. 7). De latere uitgaven van 1535 en 1543 waren geheel gebaseerd op de vertaling van Luther. Dit kostte de drukker uiteindelijk zijn hoofd: met name vanwege de Lutherse kanttekeningen werd Van Liesveldt van ketterij beschuldigd en in 1545 op het schavot ter dood gebracht.

Als reaktie op de protestantse bijbelvertaling van Luther besloten de katholieken op het Concilie van Trente tot het maken van een nieuwe vertaling naar de grondtekst van de Vulgata. Als gevolg van deze beslissing verscheen de eerste Leuvense bijbel (1548), die op naam staat van Nicolaas van Winghe. Na verloop van tijd ontdekte men hierin steeds meer fouten zodat Rome

7 Bladzijde uit de Liesveldtbijbel: Samson met de deuren van Gaza en Delila die Samsons haren afsnijdt (cat. nr. 27)

deze bijbel verbood. De vertaling werd herzien in een nieuwe, nu door de paus goedgekeurde uitgave, die in 1599 is gedrukt door Jan Moerentorf (= Moretus), de schoonzoon van de Antwerpse drukker Plantijn. De Moerentorfbijbel werd de standaardbijbel voor de rooms-katholieken en is tot in de 19de eeuw gebruikt.

Voor de protestanten waren er talrijke andere, meestal ongeïllustreerde, bijbels in de volkstaal, zoals de bijbeluitgaven gedrukt in het Oostfriese Emden, later gevolgd door de Biestkensbijbel (1560) van Nicolaas Biestkens in gebruik bij luthersen en doopsgezinden en de *Deux-aesbijbel* (1562) die, ondanks of misschien wel dankzij, het nogal platte taalgebruik, de populairste bijbel in ons land geworden is, todat deze vervangen werd door de Statenvertaling.

Geïllustreerde bijbels

De boven reeds genoemde bijbel van Jacob van Liesveldt was de eerste geïllustreerde bijbel die in ons land verscheen. De prenten in de Nederlandse 16de-eeuwse bijbels waren niet origineel maar werden ontleend aan de *Postille*, een verklarend commentaar op de bijbel van Nicolaas van Lyra (gest. 1349), aan oudere bijbels zoals die uit Keulen (1479) en Lübeck (1494) en aan prentenseries.

Zoals ook nog zal worden aangestipt in de bijdrage van I.M. Veldman (p. 29), stonden illustraties in bijbels in dienst van het geschreven woord: zij hadden een uitleggende functie ten aanzien van de tekst. Zij waren in de eerste plaats bedoeld om de tekst meer toegankelijk te maken en te verduidelijken en niet zozeer, hoewel dat ook een rol gespeeld zal hebben, om de bijbel te verfraaien. Daarnaast was dan nog de didactische of opvoedende waarde van de afbeelding van groter belang dan de vertellende.

Poortman onderscheidt drie soorten geïllustreerde bijbels. Ten eerste de bijbels met prenten in de tekst, dus wat wij geïllustreerde bijbels zouden noemen. Ten tweede bijbels met prenten ingevoegd op aparte bladen, eigenlijk een bijbeltekst zonder prenten waarin door eigenaar of uitgever zelf prenten zijn toegevoegd. Ten derde de zogenaamde prentbijbels: boeken die niet de tekst van de bijbel bevatten, maar die bestaan uit bijbelprenten met een onderschrift of een bijbelverhaal in proza en/of poëzie.

In de bijbels treffen we wetenschappelijke en verhalende prenten aan. De afbeeldingen uit het boek van Nicolaas van Lyra handelen over de ark van Noach, de tabernakel, de tempel van Salomo, de zonnewijzer van Hizkia, de oude en nieuwe tempel die Ezechiël in zijn visioen zag, de stamboom van Alexander de Grote. Deze zogenaamde wetenschappelijke prenten bleven lang in gebruik. Zij werden vanuit de Postille van Van Lyra overgenomen door Luther en zijn via de Lutherbijbel, waarop immers de eerste reformatorische bijbels waren gebaseerd, in de Nederlandse bijbels terechtgekomen. Uit de Lutherbijbel zijn ook de verhalende afbeeldingen van Lucas Cranach in de Nederlandse bijbels overgenomen, onder andere in die van Van Liesveldt. In de Liesveldtbijbel vinden we ook kopieën naar prenten van Hans Holbein uit de Lyonse bijbels, tevens zijn er afbeeldingen van de vier evangelisten. In de latere edities, vanaf 1534, heeft Liesveldt ook de Lutherprenten toegevoegd die hij eerst te polemisch achtte.[3] De prenten zijn door een onbekende houtsnijder naar voorbeeld van Cranach nagesneden, zodat ze nu spiegelbeeldig zijn. De Liesveldtbijbel is in de 16de eeuw de meest geliefde, en tevens de meest verspreide bijbel van de hervormingsgezinden geworden. Ten gevolge van het verbod en de vervolgingen zijn de exemplaren tegenwoordig vrij zeldzaam.

In 1534 werd te Frankfurt door Christian Egenolph een Lutherbijbel uitgegeven met prenten van Hans Sebald Beham (1500-1550), gedeeltelijk naar eigen ontwerp, gedeeltelijk onder invloed van de Luther-vertaling en de Duitse bijbels vóór Luther. Dezelfde serie uit het Oude Testament werd in 1537 gebruikt voor de uitgave van de *Biblische Historien figürlich gebildet* en is wijd verspreid en nagevolgd. Kopieën naar Behams prenten vinden we vooral terug in katholieke bijbels.

Vanaf 1538 verschenen prenten van Hans Holbein de Jongere die via de Lyonse bijbels hun weg in de Nederlandse uitgaven vonden. Via Lyon kwamen ook Venetiaanse prenten, weliswaar gewijzigd, in Nederlandse bijbels, onder andere in de bijbel van Willem Vorsterman. Vorsterman (gest. 1543), afkomstig uit Zaltbommel maar vanaf 1504 werkzaam in Antwerpen, bracht in 1528 een fraai geïllustreerde bijbel uit (cat. nr. 28, afb. 6). De tekst was naar die van de Liesveldtbijbel uit 1526, echter met correcties naar de grondtalen en met toevoeging van kanttekeningen die naar het Hebreeuws verwezen. De presentatie van het boek was beter dan die van de Liesveldtbijbel, het was rijker geïllustreerd en hoger van kwaliteit. De houtsneden zijn van Jan Swart van Groningen (1500-1553), Lucas van Leyden (1489/1493-1533) en van een anonieme kunstenaar. Ook de Vorsterman-bijbels kwamen op de lijst van verboden boeken te staan.

8 Een zg. wetenschappelijke prent: een voorstelling van de tabernakel in de Liesveldtbijbel (cat. nr. 27)

Veel katholieken lazen de Liesveldt- en Vorsterman-bijbel. Hiertegen kwam de kerk in verweer met de boven reeds genoemde nieuwe katholieke vertaling. Deze eerste Leuvense bijbel (1548) werd geïllustreerd met kleine houtsneden die kopieën waren van de prenten van de Duitser Beham. Toen deze bijbel op grond van de steeds weer nieuw ontdekte fouten verboden werd, is hij vervangen door de Moerentorfuitgave van 1599, waarin echter wel de meeste van de oude prenten naar Beham zijn overgenomen.

De tekst van de Moerentorfbijbel werd vaak herdrukt, soms met de prenten van Beham, soms zonder. De her-druk van Pieter Jacobs Paets uit Antwerpen met 1200 houtsneden van Christoffel van Sichem II (1582-1658) is de meest bijzondere[4] (cat. nr. 81). Van Sichem maakte zijn houtsneden naar diverse meesters zoals Albrecht Dürer (bijv. de 15 prenten van de Openbaring), Maarten van Heemskerck, Hiëronymus Wierix, Hendrik Goltzius (bijv. de vier evangelisten en de passieserie). Ook zijn er series die een eigen creatie zijn van Van Sichem. Ver-spreid over het boek zijn de 1200, vaak devotionele en didactische houtsneden zeer verschillend in karakter, stijl en kwaliteit.

De Statenbijbel

Terwijl de katholieken in de Moerentorfbijbel een vaste tekst hadden gevonden, bleef in protestantse kringen nog lange tijd onvrede bestaan over de door hen gebruikte vertalingen. Na jaren van discusssie en uitstel werd uiteindelijk op de Synode van Dordrecht (1618-1619) besloten de bijbel op kosten van de Staten-Generaal uit het Grieks en Hebreeuws in het Nederlands te vertalen. De vertaling van het Oude Testament kwam in 1636 gereed, die van het Nieuwe Testament in 1637.

De opdracht van de vertalers was geweest een nauw-keurige tekst te leveren die de waarheid van de Schrift weergaf en geen interpretaties van theologische geschil-punten. Hierop werd eigenlijk alleen een uitzondering gemaakt in de korte inleidingen en de kanttekeningen, wanneer de vertalers vonden dat onduidelijke passages nadere uitleg behoefden. Ook in de *Waerschouwinge* op de apocriefe boeken, die volgens de gereformeerde interpretatie niet op één lijn stonden met de canonieke boeken, vinden we de mening der vertalers, die niet altijd in overeenstemming was met de lijn van de Dordtse synode. Hoewel de apocriefe boeken in de 17de eeuw in

9 Het verraad van Judas. Gravure door H. Goltzius ingebonden in een Statenbijbel (cat. nr. 82)

10 Schotel met het verraad van Judas naar Goltzius (cat. nr. 72)

brede kring nog veel belangstelling genoten (hetgeen bijvoorbeeld naar voren komt in het werk van Rembrandt), was juist de kritische *Waerschouwinge* er de oorzaak van dat de apocriefen op den duur steeds minder gelezen en in veel latere uitgaven niet meer afgedrukt werden.

De Staten-Generaal, die de nieuwe bijbel autoriseerden, verleenden de weduwe van Hillebrandt Jacobsz. van Wouw in Leiden het alleenrecht om de bijbel uit te geven. Paulus Aertsz. van Ravensteyn, beroemd om zijn geïllustreerde boeken en wellicht de beste drukker van zijn tijd, werd als officiële drukker van de Statenbijbel aangewezen. Hiertegen kwamen de Amsterdamse drukkers, gesteund door de stad, succesvol in opstand. Ook zij gingen vervolgens de Statenbijbel uitgeven, vaak 'in compagnie' om de kosten en risico's gezamenlijk te dragen. Waren eerst Leiden en Amsterdam de steden waar de voornaamste bijbels gedrukt werden, ook in Dordrecht waar Hendrick en Jacob Keur hun bedrijf hadden, verschenen vanaf 1666 bijbels.

Door de grote vraag was de nieuwe bijbel een lucratieve zaak voor drukkers en uitgevers, die er tevens eer in legden een zo goed mogelijke tekst af te leveren. Opvallend is het dat het drie vrouwen waren die als uitgeefster van de Statenbijbel een grote rol speelden in deze door mannen overheerste kerk. Eerst Machtelt van Wouw als uitgeefster van de eerste druk in 1637, vervolgens Elisabeth Sweers van Ravensteyn (de weduwe van Paulus van Ravensteyn, gest. 1655) die een verbeterde uitgave op de markt bracht (in 1657, de zogenaamde Tweede Corrigeerbijbel welke wordt beschouwd als de beste uitgave) en tot slot Eva Elzevier die in 1663 nog een verbeterde uitgave in Latijnse letter uitgaf.

De Statenbijbel werd zeer snel algemeen aanvaard en verdrong in korte tijd de oudere bijbels, omdat de vertaling onmiddellijk als de beste werd erkend.[5] Nadat het eerste exemplaar op 17 september 1637 aan de Staten-Generaal was aangeboden, was de Statenvertaling binnen enkele jaren bijna overal in gebruik. Een enkele uitzondering hierop vormden kleine gemeenten op het platteland, waar kerkmeesters soms bezwaar uitten wegens de hoge prijs, die mede afhankelijk was van het formaat en de kwaliteit van het papier. Overigens kon men op beide bezuinigen, evenals op de omvang, bijvoorbeeld door het weglaten van kanttekeningen of van de apocriefe boeken (zie hierboven). De Statenbijbels zijn in zo grote aantallen gedrukt dat men hieruit mag afleiden dat op den duur vele gereformeerde gezinnen wel over deze bijbel beschikt hebben.

De hoge waardering voor de Statenbijbel kwam tevens tot uiting in de bijzondere uitvoering ervan. Menigeen liet zijn exemplaar fraai inbinden met goudstempel en koperen beslag. Daarnaast werden ook kaarten en prenten ingevoegd. De kaarten waren van Claes Jansz. Visscher (ca. 1550-1612) en zijn zoon Nicolaes

(1586-1652). De leden van de Synode van Dordrecht vonden het niet nodig de Statenbijbel te illustreren. De vraag naar illustraties was echter zo groot dat de bijbeldrukkers ook prentenseries gingen uitgeven. Ongebonden Statenbijbels werden vervolgens van prenten voorzien.[6] Vooral populair waren de prenten van Cornelis Danckerts en Pieter Hendriksz. Schut, die beiden de prenten van Mattheus Merian (1625-1627) als voorbeeld gebruikt hebben (zie hieronder). Ook prenten van andere kunstenaars vonden hun weg in Statenbijbels. In de collecties van Het Catharijneconvent bevindt zich een prachtig exemplaar van de Statenbijbel met ca. 150 ingevoegde ingekleurde kaarten en prenten van Claes Jansz. Visscher, Hendrik Goltzius, Jacob Matham, Sadeler en anderen (cat. nr. 82, afb. 4 en 9).

De prenten die in de Statenbijbels werden ingevoegd, konden afkomstig zijn uit afzonderlijke gedrukte prentenseries, uit prentbijbels, maar ook uit wetenschappelijke werken. Op de prentbijbels zullen we hieronder nader ingaan, wat betreft de wetenschappelijke werken volstaan we met de vermelding van de *Voorbereidselen tot de Bijbelsche wijsheid en gebruik der Heilige Historiën* en de *Mozaïze historie der Hebreeuwse Kerke*, beide uitgegeven door Willem Goeree in Amsterdam (in resp. 1690 en 1700) en het *Algemeen groot naam- en woordboek van de gantschen H. Bijbel* door Georg Calmet, uitgegeven door Samuel Luchtmans te Leiden (1725-1727, Utrecht, RMCC, BMH 34 A 15). Van belang zijn ook nog de werken van Flavius Josephus zoals De *Joodse Oorlogen* en *De Joodse Oudheden* en de werken van Jacob Cats (zie cat. nr. 99 en 100).

Prentbijbels

Vanaf de 16de tot en met de 18de eeuw oefenden prentbijbels een grote invloed uit niet alleen op de interpretatie van de bijbel maar ook op de Europese kunst in het algemeen. Soms behandelen de prentbijbels taferelen uit de gehele bijbel, soms alleen uit het Oude of alleen uit het Nieuwe Testament. In beeld weergegeven functioneren de bijbelse geschiedenissen in de prentbijbels bijna onafhankelijk van de eigenlijke bijbeltekst, waarvan vaak slechts één regel, citaat of korte verwijzing onderaan de prent werd toegevoegd. Deze bijschriften zijn veelal neutraal van aard, maar kunnen ook moraliserend zijn. Een enkele keer werden de teksten aangepast aan het publiek waarvoor de uitgave bestemd was. Zo werden bijvoorbeeld de prenten van Pieter van der Borcht (1545-1608) eerst uitgegeven met teksten van de spiritualist Hiël (ca. 1530-1594), die zijn bijschriften als 'wesentlicke' beschouwde van wat 'figuerlick' geïllustreerd is.[7] Vervolgens verschenen zij met teksten gericht op een katholiek publiek, voor gereformeerden werden zij gedrukt zonder tekst en voor doopsgezinden met teksten van de mennoniet Jan Philipsz. Schabaelje (ca. 1592-1656).[8]

Doordat zij gemakkelijker te reproduceren waren dan geïllustreerde tekstbijbels, waren prentbijbels goedkoper en derhalve voor een breder publiek bereikbaar. Niet alleen uitermate geschikt voor leken en huisgezinnen, waaronder ook de jongeren, waren de prentbijbels ook bijzonder geliefd onder kunstenaars en ambachtslieden. Voor hen fungeerden zij als iconografische naslagwerken waaraan zij de modellen voor hun eigen composities konden ontlenen. Eenvoudiger ambachtslieden kopieerden de prenten uit de prentbijbels vaak letterlijk. Toch is het niet eenvoudig om bij gedecoreerde gebruiksvoorwerpen precies aan te wijzen welke prentbijbel of prentuitgave men gebruikt heeft. Dezelfde prenten werden vaak in verschillende prentbijbels met verschillende teksten afgedrukt of nagegraveerd. Ook losse prenten die als voorbeeld gediend hebben, werden nagegraveerd of werden ingebonden niet alleen in diverse verschillende bijbels maar ook in andere teksten (bijvoorbeeld in de werken van Flavius Josephus, cat. nr. 99). Uit het hiernavolgende zal blijken dat de drukgeschiedenis van diverse prentbijbels bijzonder ingewikkeld en soms ook zeer verwarrend is. Een grondige studie over dit onderwerp, waarbij het werk van Wilco Poortman goed als uitgangspunt kan dienen, zou zeer wenselijk zijn. Hier kunnen we slechts enkele belangrijke punten aanstippen.

De invloed van Mattheus Merian

Voor de Nederlandse prentbijbels was het werk van Mattheus Merian van Bazel, graveur en uitgever, van groot belang. Hij gaf in 1625-1627 een prentbijbel uit in drie delen met 258 kopergravures met nieuwe composities, begeleid door gedichten in het Duits, Latijn, Frans en Engels. Met deze serie doorbrak hij de traditie die met Luthers bijbeluitgave was ontstaan. Het Nieuwe Testament werd voor het eerst rijk geïllustreerd en in het Oude Testament komen 23 taferelen voor die nog nooit eerder geïllustreerd waren. In 1630 gaf hij de zogenaamde Merianbijbel uit, waarin alle 258 gravures van de prentbijbel voorkomen. Hij ontleende zijn figuren vaak aan andere schilders en graveurs, maar de landschappen waarin de taferelen zich afspelen werden door hemzelf toegevoegd met herkenbare details uit zijn eigen omgeving.

De Merianprenten hebben in de 17de en 18de eeuw een grote invloed gehad. Zo gaf Cornelis Danckerts in 1648 Merians prentbijbel voor het eerst uit (er bestaat ook een latere druk uit 1659). Hierin zijn de prenten spiegelbeeldig en sterk gelijkend nagegraveerd, zonder dat Merian's naam genoemd wordt. Danckerts deed het voorkomen alsof hij de prenten zelf had ontworpen[9] (cat. nr. 83). Danckerts' uitgave is zeer vaak, ook in

JOHANNIS CAP. VIII. 37

Nullum memorabile nomen
Fœminea in pœna eſt.

Non noſtrum eſt punire: meos, en, accipe ſenſus;
Innocuus jaciat marmora ſæva prior.
Quo fugitis? quatit occulto tortore flagellum.
Æquior eſt judex, qui reus ante ſibi.

La femme adultere.

Jeſus déploie ici ſa divine clémence,
Et des Phariſiens réprime l'arrogance:
Il condamne le vice, il abſout le pécheur,
Et d'un trait foudroyant les perce juſqu'au cœur.

Who art thou that condemns thy Brother.

They an adult'reſs bring, Maſter, they cry
This woman ought by Moſes law to dye
Now what ſay'ſt thou, quoth Chriſt, let this be done
Let him that's guiltleſs here, caſt the firſt ſtone.

Falſche Anklager ſelbſt beſchuldigt.

Ihr Richter / ſelbſt befleckt / bedencket was ihr ſprecht /
Wenn über Miſſethat ihr ſollet halten Recht.
Ein überzeugt Gemüht muß ſelbſt ſich ſchuldig kennen /
Eh er den Nächſten noch darf Ubelthäter nennen.

Valſche beſchuldigers van zich zelven beſchuldigt.

O Rechters ſonder reên, bedenkt u ſelven wel,
Of vordert ſoo geen ſtraf van 't ſchandig overſpel.
Wiens overtuigt gemoed ſich ſelf moet ſchuldig noemen,
Die ſie dat hy ſich wacht van andre te verdoemen.

K 2

11 Christus en de overspelige vrouw. Gravure door P. Schut naar M. Merian in de *Afbeeldingen der voornaamste historien...* (cat. nr. 84)

kleiner formaat, nagegraveerd in talrijke prentbijbeltjes tot ver in de 18de eeuw.

Een andere prentbijbel die prenten bevat naar Merian is de zogenaamde Schutbijbel die ca. 1650 is uitgegeven door Claes Jansz. Visscher. De tekenaar en graveur Pieter Hendricksz. Schut (ca. 1619-1662) maakte eerst 42 bladen met acht kleine gravures, verkleind naar Merian, die niet als prentbijbel zijn uitgegeven, maar later wel in de Statenbijbel van 1663 zijn opgenomen. Er zijn twee soorten Schutbijbels, namelijk met Merianprenten op originele grootte en met verkleinde Merianprenten. De bijbel met prenten die dezelfde grootte als de oorspronkelijke Merianprenten hebben, heeft links prozatekst en rechts de prent met een begeleidend gedicht, beide in vijf talen (cat. nr. 85, afb. 11). Ook de kleine prenten van Schut komen, door anderen nagegraveerd, in veel prentbijbels voor. Het Catharijneconvent bezit een nadruk van Philippus Losel uit Rotterdam uit 1739 (cat. no. 86).

De familie Visscher in Amsterdam gaf diverse nadrukken uit, niet alleen van Schutprenten maar ook van Vlaamse prentenseries en prentbijbels. Voorbeelden hiervan zijn een nadruk van de grote prentbijbel van Pieter van der Borcht, onder de titel *Emblemata sacra et praecipuis utriusque Testamenti historiis concinnata* (Amsterdam, 1639), of de prentbijbel van Gerard de Jode (Antwerpen, 1585) in het *Theatrum Biblicum hoc est Historiae Sacrae, veteris et novi testamenti tabulis aereïs expressae* (Amsterdam, 1639 en 1643). In de laatste is de signatuur van De Jode echter vervangen door die van C.J. Visscher. Deze prentbijbel bestaat uit 471 kopergravures, alle voorzien van een onderschrift in het Latijn, waarbij de bladen eenzijdig bedrukt zijn zodat het tegenoverliggende linkerblad onbedrukt is. De prenten zijn door verschillende kunstenaars ontworpen (o.a. Maarten van Heemskerck en Maarten de Vos) en door verschillende graveurs gesneden (Herman Muller, Adriaen Collaert, e.a.), de tekst is van Jan Philipsz. Schabaelje. Het *Theatrum Biblicum* werd door Visscher met dezelfde prenten herdrukt in 1650 en 1674. Het Catharijneconvent bezit niet alleen deze late druk (Utrecht, RMCC, SPKK O.d. 16, 62 F 2) maar ook de fraaie uitgave van Schabaelje getiteld *Den grooten figuer-bibel* uit 1646, die volgens de titelpagina gedrukt is door Symon Cornelisz. [Breken-geest] in Alkmaar, maar een titelprent heeft van Visscher uit 1650[10] (cat. nr. 87, afb. 14). De koperplaten waren toen nog niet zozeer gesleten als 25 jaar later, want de afdruk van de prenten is veel scherper dan van die uit 1674. Op de lege linkerbladzijden zijn hier en daar ook Schutprentjes afgedrukt (zie boven). In de inleiding op het boek wordt gesproken van zeven kleine afbeeldingen: drie in het Oude Testament en vier in het Nieuwe Testament, waar ze echter ontbreken. Achterin vinden we ook nog prenten van Van Heemskerck en

12 Hakkebord met Christus en de overspelige vrouw, gesneden naar de gravure van Schut (cat. nr. 75)

13 Zilveren beker met o.a. een voorstelling uit de geschiedenis van Jefta, gegraveerd naar de kleine prenten van Schut (cat. nr. 67)

14 Jonas vlucht voor het bevel van God naar Ninevé te gaan. Gravure uit de *Figuer-bibel* van Schabaelje (cat. nr. 87)

Stradanus bij de Handelingen der Apostelen. Bij de Twaalf Artikelen des Geloofs of de Apostolische Geloofsbelijdenis zien we een serie van Collaert, Maarten de Vos en Petrus de Jode, en tot slot volgen Schutprenten naar Merian (vier op een blad) uit het boek Openbaring. Meer dan 400 van de 470 prenten uit de *Figuer-Bibel* zijn door Visscher gesigneerd, er is ook een twintigtal prenten dat Schabaelje zelf uitgaf. Men denkt hierbij aan een nauwe samenwerking tussen beiden. Het vermoeden bestaat dat Schabaelje hele series prenten van Visscher overgenomen heeft en er vervolgens tekst aan toevoegde.

Schabaelje gaf in 1648 nog een boekje uit genaamd *Bibelsche figueren*. Hierin ligt de nadruk op het Nieuwe Testament. Na een historische inleiding is het werk ingedeeld in vijf secties van prenten met een motto, een twee-regelig rijm en een interpretatief commentaar op de tegenoverliggende verso-zijde. De gravures zijn naar Mattheus Merian van Basel (1621-1687), hetzij door Pieter Hendricksz. Schut, hetzij door Salomon Saverij (1594-na 1665). Van het boek bestaan twee weinig van elkaar verschillende uitgaven. Ons exemplaar vertegenwoordigt de tweede uitgave (cat. nr. 88, afb. 16).

De grote en kleine bijbel van Mortier

Vooral in de eerste helft van de 18de eeuw verscheen in de Nederlanden een aantal schitterende bijbels en prentbijbels waaraan vermaarde kunstenaars als Romeijn de Hooghe, Jan Luyken, Gerard Hoet, Arnold Houbraken en Bernard Picart hebben meegewerkt.

Aan het begin van de eeuw zien we allereerst de grote en de kleine bijbel van Pieter Mortier op de markt verschijnen. Mortier zelf kondigde in 1700 de bijbel aan als één der mooiste prentbijbels tot dan toe verschenen (cat. nr. 89, afb. 17). Hij had hiervoor nieuwe tekeningen laten maken door kunstenaars als O. Elliger, J. Goeree, J. Luyken, B. Picart, Ph. Tideman, G. Hoet en anderen. Als graveurs waren geëngageerd J. Muller, J. Baptist, Van der Gouwen, De Blois, Rheinhard, Sluyter en anderen. De eindverantwoordelijkheid lag bij David van den

Plaets, wiens medewerking niet onverdeeld goed ontvangen werd. Omdat uiteindelijk een groot deel van de tekeningen van de hand van de niet zo begaafde Otto Elliger was en het niveau van een aantal graveurs nogal middelmatig was, voldeed de bijbel tenslotte niet aan de verwachtingen.[11]

Kort na deze grote bijbel bracht Mortier in 1703 een kleinere bijbel uit met evenveel prenten. Deze kleine bijbel van Mortier wordt ook wel Jan Luykenbijbel genoemd, omdat 151 van de 400 prenten gemaakt zijn door de vermaarde etser Jan Luyken (1649-1712).[12] De andere prenten zijn verkleinde kopieën van de prenten uit de grote bijbel. Een aantal prenten is ook weer gebruikt in uitgaven van *Alle de werken* van Flavius Josephus (cat. nr. 99).

De bijbels met prenten van Romeijn de Hooghe

Van veel meer kwaliteit was het werk van de naar Haarlem uitgeweken Amsterdammer Romeijn de Hooghe (ca. 1645-1708), een van de belangrijkste graveurs uit de tweede helft van de 17de eeuw. Van zijn grafisch werk zijn de historieprenten het meest bekend. Aan zijn gravures is te zien dat hij met veel zwier, zij het soms wat haastig, werkte zonder aan alle details aandacht te schenken. In zijn bijbelse voorstellingen heeft Romeijn de Hooghe veel aan Rembrandt ontleend. De serie van 139 bijbelse prenten die hij in 1699 in opdracht van de Amsterdammer Jacob Lindenberg vervaardigde, kende een enorm succes.

Nadat Lindenberg eerst een slechtlopende Lutherbijbel met prenten van Romeijn de Hooghe had uitgegeven (1702, vaak met ingekleurde titelplaten om het boek beter te doen verkopen), bracht hij een prentbijbel uit met op elk blad een prent. Elke prent bestaat uit vijf afbeeldingen, een in een cartouche in het midden en vier in de hoeken. Onder de prenten staan puntdichten en korte verklarende teksten van de Amsterdamse predikant Henricus Vos. De eerste druk verscheen in 1703 onder de titel *Alle de voornaamste Historien des Ouden en Nieuwen Testaments, verbeeld in uytstekende Konstplaten door den Wijd-beroemden Heer en Mr. Romeyn de Hooghe.* Er zijn minstens zes drukken van de

15 Tegel met Jonas, naar de gravure uit de *Figuer-bibel* (cat. nr. 79)

Voorbeelden Chrifti. 35

In beyderley gheboort' kinderkens zijn ghedoot,
Beyd' zijnse jonck ge-eert van wijse machtigh groot;
Beyd' quamens' in haer ampt uyt verr' gevluchte palen,
Beyd' deense teeckens groot om 'tgeloof niet te falen;
Beyd' zijnse swaer vervolght van Koningen bloedt-gier,

E 2 Beyd,

16 De redding van Mozes. Bladzijde uit de *Bibelsche figueren* van Schabaelje (cat. nr. 88)

DICHTKUNDIGE VERKLAARING van de XCVI. AFBEELDING.

Tobias, die in slaap het oogenlicht verliest,
Verzend zyn Zoon, die zich tot Reisgenoot verkiest,
Den Engel Raphaël in Asarias weezen,

Hy vangt een Visch op Reis, daar hy de gal bewaard,
Trouwt een uitheemsche Vrouw, en keert naar 's Vaders haard,
Om door dit ingewand 's mans blindheit te geneezen.

DICHTKUNDIGE VERKLAARING van de XCVII. AFBEELDING.

Wat zucht gy Achior, geboeit aan Bethuls bron,
Wyl Judith wreekt uw leed voor 't ryzen van de zon,
En Holofernes brengt in dronkenschap om 't leeven,

Zy scheid het hoofd van 't lyf, dat Abra met zich draagt,
En keert naêr Bethuls poort, eer 't morgenlicht weêr daagt,
Des werd het Syrisch heir verovert en verdreeven.

a 2

17 Tobias en Judith. Gravures door Romeyn de Hooghe in het *Groot Waerelds Tafereel* (cat. nr. 90)

18 De koningin van Scheba bezoekt koning Salomo. Prent door Jan Luyken uit de *Afbeeldingen...* (cat. nr. 92)

prenten met de tekst van Vos, maar er zijn, volgens Poortman, hoogstens twee prentbijbels van Vos.[13] De prentenseries van De Hooghe zijn vooral verkocht om in ongeïllustreerde bijbels bij te laten binden.

In de tweede prentbijbel, die hij rond 1706 uitgaf, gebruikte Lindenberg dezelfde prentenserie, waarbij echter enkele slotprenten zijn toegevoegd van Cornelis Huibertsz. en Casper Luyken; het boek kreeg als titel *'T Groot Waerelds Tafereel* en heeft 140 genummerde prenten, vaak twee onder elkaar op één blad. De tekst is van de Waalse predikant Jacques Basnage en is vertaald door de dichter Abraham Alewyn die de prenten ook van gedichten voorzag. Tussen 1706 en 1721 verschenen tien drukken van de prentbijbel van Basnage. Omdat hiervan slechts twee gedateerd zijn, n.l. de achtste (1715) en de tiende (1721), is het vaak moeilijk vast te stellen welke druk men in handen heeft. De achtste druk is opgedragen aan Johan Trip van Berkenrode (1664-1732), burgemeester van Amsterdam. Zijn portret heeft Lindenberg voorin laten opnemen (cat. nr. 90, afb. 17).

Geen prentbijbel in de 17de en 18de eeuw heeft zoveel drukken gekend als deze. Daarbij schroomde Lindenberg niet veranderingen in de prenten van De Hooghe aan te brengen waar hij dit zelf nodig vond, bijvoorbeeld met het doel ze meer geschikt te maken om in gereformeerde bijbels bij te binden (de prenten komen dan ook veel in Statenbijbels voor).[14]

De bijbels met prenten van Jan Luyken

Samen met Romeijn de Hooghe behoorde de boven al genoemde Jan Luyken (1649-1712) tot de meest bekende graveurs van zijn tijd. Daarnaast heeft hij ook als dichter naam gemaakt. Luyken ontwierp zelf alle tekeningen voor zijn prenten waardoor zijn werk zeer oorspronkelijk is. Opvallend zijn vooral de nauwkeurige achtergronden die, met name op de grote prenten, vaak gevuld zijn met grote menigten mensen. Hoewel hij een accurate tekenaar was, gaf hij de gezichten van zijn personen weinig individuele trekken.

Vader Jan en zoon Casper Luyken (1672-1708) hebben zeer veel prenten gemaakt, die talrijke bijbels maar ook geschiedenisboeken illustreren. De jonge Luyken was enige jaren in de leer bij zijn vader, maar vertrok al spoedig naar Neurenberg, waar hij voor de uitgeverij van Christoffel Weigel werkte. Drie jaar na zijn terugkeer in Amsterdam overleed hij op 36-jarige leeftijd. Een enkele keer hebben vader en zoon samen prenten gemaakt.

Diverse prentbijbels dragen de naam van Jan Luyken, maar in slechts één uitgave zijn zowel de tekst als de prenten van zijn hand. Zijn zoon was de prentenreeks begonnen en voltooide er 131. Jan zette de reeks na diens dood in 1708 voort en maakte er nog 208. Toen het werk in 1712 uitkwam, was ook hij inmiddels overleden. Onder

19 Horloge met de ontmoeting tussen Rebekka en Izaäk, geïnspireerd op een prent uit de prentbijbel van De Hondt (cat. nr. 115)

de 339 prenten staan teksten uit de bijbel die betrekking hebben op de afbeelding; een gedicht over hetzelfde onderwerp staat op de bladzijde ernaast (cat. nr. 91).

Jan Luyken maakte verschillende series van grote en kleine prenten die in bijbels ingevoegd konden worden. De serie van 62 grote prenten werd drie keer herdrukt. Als prentbijbel zonder tekst of titelblad kwam de serie voor het eerst uit in 1708 bij Pieter Mortier onder de titel *Icones Biblicae... of Printverbeeldingen der Historien des Ouden en Nieuwen Testaments.* Het Catharijneconvent bezit acht van Luykens ontwerptekeningen voor deze prenten (Utrecht, RMCC, BMH t.63-70). Nadat ze waren uitverkocht, werden de prenten in 1729 opnieuw gedrukt. De koperplaten waren toen reeds overgenomen door C. Mortier en J. Covens, die P. Mortiers adres vervingen door dat van henzelf. De prenten werden nu met een beschrijving op de markt gebracht onder de titel *Afbeeldingen der merkwaardigste geschiedenissen van het Oude en Nieuwe Testament; in het koper geëtst door J. Luyken; en met nieuwe en leerzame beschryvingen opgeheldert* (cat. nr. 92, afb. 18). In deze tweede druk zijn ook de kaarten en 29 ovale vignetten van Luyken uit de grote bijbel van Mortier opgenomen. De derde druk dateert van 1747 en kwam uit bij F. Houttuyn.

De prentbijbel van Pieter de Hondt en de Scheitsprenten

Bijna 25 jaar werd gewerkt aan de prentbijbel die Pieter de Hondt in 1728 in Den Haag heeft uitgebracht. In het eerste deel zijn alle prenten van Gerard Hoet (1648-1733), terwijl in de andere twee delen ook prenten van Arnold Houbraken (1660-1719) en Bernard Picart (1763-1733) opgenomen zijn. De Fransman Picart, die de leiding heeft gehad over dit project, maakte zelf 79 prenten van het totaal van 212.[15] Hij is tevens verantwoordelijk voor de schitterende vignetten in deze bijbel. Het boek is opgedragen aan Adriaen van der Marck, heer van Leur, die de uitgave gedeeltelijk financierde (cat. nr. 93, afb. 20).

20 De ontmoeting tussen Rebekka en Izaäk. Afbeelding uit de prentbijbel van Pieter de Hondt (cat. nr. 93, 94)

Picart, die in Amsterdam een groot atelier had met verschillende Hollandse en Franse graveurs, werkte veel naar schilders als Rafael, de broeders Carracci, Maratta e.a. Zijn prenten zijn dan ook gemakkelijk te herkennen, zelfs als hij ze niet gesigneerd heeft. De tekst in de prentbijbel is van Jacques Saurin, een Waals predikant in Den Haag. De bijbel wordt de prentbijbel van Pieter de Hondt genoemd, omdat De Hondt, als tweede verkoper, uiteindelijk verantwoordelijk is geweest voor de verspreiding van het werk.[16] Prenten uit deze bijbel werden enkele jaren later, in 1732, ook opgenomen in de *Biblia Sacra dat is de Heilige Schriftuur...*, een uitgave voor de oud-bisschoppelijke clerezij, later oud-katholieken genoemd (cat. nr. 94). De invloed die deze prenten uitoefenden blijkt uit de afbeeldingen op zowel een 18de-eeuws gouden horloge als op een Amelander hoekkastje (afb. 19 en 68). Voor het horloge is de prent met de voorstelling van de ontmoeting van Izaäk en Rebekka als voorbeeld gebruikt, op het hoekkastje die van de verkondiging aan de herders.

We besluiten met het noemen van nog een belangrijke prentenserie die we vaak in bijbels aantreffen, namelijk de prenten van Matthias Scheits. In 1672 verscheen in Lüneburg een Lutherbijbel die bekend werd onder de naam Scheitsbijbel naar Matthias Scheits, ontwerper van de 152 prachtige kopergravures die gegraveerd zijn door verschillende Duitse en Nederlandse meesters. Deze prenten komen niet in de oorspronkelijke staat in Nederlandse bijbels voor, maar zijn in een kleiner formaat nagesneden door minder bekende kunstenaars, onder wie enkele leerlingen van Romeijn de Hooghe (waaronder I. Lamsvelt en Jacob Folkema). Niet bekend is wie de opdrachtgever was, noch in welk jaar de prenten voor het eerst in Nederland gedrukt werden. In de collectie van Het Catharijneconvent bevindt zich een katholieke bijbel uit 1714 waarin deze Scheitsprenten zijn bijgebonden (cat. nr. 95, afb. 21). In 1760 kwamen Reinier en Josua Ottens in Amsterdam met een prentbijbel van de nagegraveerde Scheitsprenten op de markt, waaruit blijkt dat zij toentertijd beschikten over de koperplaten. We vinden deze prenten eveneens vaak in Statenbijbels.[17]

21 De verstoting van Hagar. Nagesneden Scheitsprent in een Moerentorfbijbel (cat. nr. 95)

Tot slot

Onder de grote Nederlandse kunstenaars die bijbels illustreerden ontbreekt de naam van Rembrandt Harmensz. van Rijn (1606-1669). Rembrandts werk als eigentijdse boekillustrator is helaas zeer beperkt geweest. Als verklaring hiervoor wordt wel genoemd het feit dat hij vooral etsen maakte en experimenteerde met zeer kwetsbare gemengde technieken, onder andere de droge naald, die niet geschikt waren voor het drukken van grote oplagen.[18] Hierdoor leende zijn werk zich er niet toe in boeken opgenomen te worden. Bovendien bleef Rembrandt voortdurend aan zijn etsen werken en gaf hij zijn platen geheel niet uit handen. Zo schreef Arnold Houbraken rond 1720: 'Hy had ook een eigen wyze van zyne geëtste platen naderhand te bewerken en op te maken: 't geen hy zyne Leerlingen nooit liet zien'.[19] Hij etste vooral voor zichzelf en verhandelde ook de afdrukken zelf, niet via een patroon of uitgever. Financieel gunstige kontakten zijnerzijds met uitgevers zijn dan ook niet bekend.

Slechts een enkele keer maakte hij een illustratie in boeken van vrienden. Dat hij geen bijbels geïllustreerd heeft is des te meer betreurenswaardig omdat Rembrandt als geen ander bijbelse taferelen wist over te brengen op schilderijen, etsen en tekeningen. Reeds vroeg werden kopieën naar zijn etsen door mensen als Christoffel van Sichem II (in *Bibels Tresoor*, 1646) en Schabaelje (1654) in hun boeken toegevoegd. Toch werd Rembrandt zo'n twee en een halve eeuw na zijn dood alsnog een beroemd 'boekillustrator' toen in 1906/1910 de zogenaamde Rembrandtbijbel op de markt kwam.[20] Pas na de uitvinding van de moderne reproduktietechnieken konden zijn afbeeldingen op grote schaal gereproduceerd en in boeken toegevoegd worden.

W.C.M. Wüstefeld

1. Dit artikel is vooral gebaseerd op: cat. tent. Leiden 1990; cat. tent. Zeist 1973; Fontaine Verwey 1975; Fontaine Verwey 1976(1); Fontaine Verwey 1976(2); Fontaine Verwey 1976(3); Jaakke/Tuinstra (red.) 1990; Poortman 1983-1986; Triebels 1960; Visser 1988.
2. De in de middeleeuwen meest gangbare bijbeluitgave, samengesteld door de kerkvader Hiëronymus (4de eeuw na Chr.) op grond van tekstkritisch onderzoek naar de Griekse en Hebreeuwse teksten.
3. Uit het boek Openbaring van Johannes bijvoorbeeld het beest met de pauselijke tiara en Rome als Babel.
4. In deze uitgave is het Nieuwe Testament gedateerd 1646, maar het hoort bij een volledige bijbeluitgave van 1657. Hoogstwaarschijnlijk verscheen het Nieuwe Testament eerst in 1646 zonder prenten en werd het door Paets herdrukt met afbeeldingen. De prenten waren al eerder in drie andere boeken verschenen die door Paets waren uitgegeven: 1) *Bibels Tresoor ofte zielen lusthof*, t'Amsterdam, P.I. Paets, 1646 (Utrecht, RMCC, BMH 12 C 6); 2) *'t Schat der Zielen, dat is het geheele leven van ons Heeren Iesu Christi...*, C. van Sichem voor P.I.P..., Amsterdam, By Pieter I[acobsz.] P[aedts], 1648. 80 (3 exempl. in Utrecht, RMCC, BMH 31 F 26, 27, 28); 3) *De Zielen Lust-hof tracteerende van 't leven ende lyden ons Heeren...* door C. van Sichem voor P.I. Paets', [te Amsterdam], Ao 1629 (Utrecht, RMCC, BMH 35 B 2, incompl.). Paets bezat een groot deel van de houtblokken van Van Sichem en kon ze dus ook gebruiken voor de bijbel van 1657.
5. Deze bleef in gebruik tot in 1951 de nieuwe vertaling van het Nederlands Bijbelgenootschap verscheen.
6. Ook diverse ongeïllustreerde Luther- en katholieke bijbels komen met bijgebonden prenten voor.
7. Hiël (= Hendrick Iansz Een-vvesich Leuen Godts), pseudoniem van Hendrik Jansen van Barrefelt, was een volgeling van Hendrik Niclaes, de stichter van de spiritualistische sekte genaamd Huis der Liefde. Barrefelt verliet Niclaes na een ruzie (ca. 1573) en stichtte een eigen sekte, wel het Tweede Huis der Liefde genoemd; hij werd gesteund door Christoffel Plantijn. Hij schreef o.a. de tekst bij de grote en de kleine prentbijbel van Pieter van der Borcht. Fontaine Verwey 1975, p. 85-111; Visser 1988, p. 35-76.
8. Tevens editeur en uitgever; na 1648 te Amsterdam ook drukker. Eerder was hij in Alkmaar werkzaam in de gematigde Waterlander congregatie van Hans de Ries (1624-1648).
9. Ook deed hij alsof de bijgevoegde gedichten waren geschreven door de jeugdige Reinier Anslo, die echter alleen de Nederlandse versie schreef.
10. Poortman 1983-1986, 2, p. 29; Visser 1988, p. 44, nt. 28 vermeldt dat in Het Catharijneconvent alleen de prenten van het Oude Testament aanwezig zijn; er is echter ook een afzonderlijk tweede deel met de prenten van het Nieuwe Testament. Zie voor de datering van de eerste druk van Visschers prentenserie Visser 1988, p. 43, nt. 26.
11. Het boek bestaat uit twee delen en heeft telkens aan de linkerkant twee prenten op een blad met een korte Nederlandse en een Franse titel; daarnaast staat een beschrijvende bijbeltekst. Ongebonden kostte de bijbel f 36,- op gewoon papier, en f 47,- op groot royaal papier. De verkoop liep waarschijnlijk niet zo vlot als aanvankelijk gehoopt was en het boek was zo'n honderd jaar later nog steeds verkrijgbaar.
12. Dit is een zeer zeldzaam boekje. Volgens de gegevens van de Koninklijke Bibliotheek in Den Haag is het enig bekende exemplaar in een Nederlandse bibliotheek, nl. in de (opgeheven) bibliotheek van de paters franciscanen, enkele jaren geleden verkocht (huidige verblijfplaats onbekend).
13. Er is maar een compleet exemplaar bekend (nu in de Universiteitsbibliotheek te Amsterdam); Poortman 1983-1986, 2, p. 110-111.
14. De eerste druk van deze bijbel op klein papier kostte f 16,-, op groot papier f 19,-. Van de achtste druk weten we dat de gewone uitgave op klein papier en ingebonden f 17,10 heeft gekost, op groot papier f 22,10. Indien men de prentbijbel ingebonden wilde hebben in een volledige bijbel, moest men hiervoor f 65,- betalen. Poortman 1983-1986, 2, p. 112.
15. Opvallend is dat Picart de prentbijbel zelf al in 1720 met eigen adres had uitgegeven. Dit boek is zeer zeldzaam. Poortman 1986, p. 140. Picart maakte ook 50 prenten voor de grote bijbel van Mortier.
16. De prenten uit de bijbel van Pieter de Hondt komen in veel bijbels voor, o.a. in de Elzevierbijbel (de tekst van 1663) en in de Goetzeebijbel van 1748.
17. Poortman 1983-1986, 2, p. 146, noemt hiervan drie uitgaven uit respectievelijk 1715, 1722, 1730.
18. Fontaine-Verwey 1976(2), p. 139.
19. Alpers 1988, p. 100-101, 145, nt. 33.
20. Verzorgd door C. Hofstede de Groot; uitgever K. Groesbeek (Scheltema & Holkema). Fontaine-Verwey 1976 (3), p. 140.

Bijbelse thema's in de Nederlandse prentkunst van de 16de en het begin van de 17de eeuw

Vanaf vroeg-christelijke tijd werden verhalen uit de bijbel uitgebeeld. Zij waren bekend door lezingen in de liturgie en het is dan ook de liturgie die de keuze van de bijbelse voorstellingen in hoge mate bepaalde. Uiteraard viel daarbij de nadruk op de belangrijkste momenten uit de heilsgeschiedenis. De illustratie van oudtestamentische verhalen was voornamelijk beperkt tot een aantal steeds terugkerende scènes die uitgebeeld werden vanwege hun typologische betekenis. Bepaalde oudtestamentische scènes werden namelijk traditioneel beschouwd als prefiguraties oftewel voorafbeeldingen van gebeurtenissen uit het Nieuwe Testament. Samen met hun nieuwtestamentische parallellen waren deze prefiguraties geïllustreerd in de *Biblia Pauperum* en het *Speculum humanae salvationis*, die vanaf de 14de eeuw in verschillende versies beschikbaar waren.[1] Op deze theologische parallellen grepen ook kunstenaars terug. Zo ziet men bijvoorbeeld het offer van Izaäk uitgebeeld in samenhang met de kruisdood van Christus; Abraham en Melchisedek en de mannaregen als vooraankondiging van het laatste avondmaal; het verhaal van Jefta die zijn dochter offert diende als prefiguratie voor de presentatie van Maria in de tempel; David verslaat Goliat voor de verzoeking van Christus; Kaïn doodt Abel voor het verraad van Judas; Jozef die in de put geworpen wordt voor de graflegging van Christus; Jonas uitgespuwd door de walvis voor de opstanding (afb. 22).

22 Jozef in de put en Jonas opgeslokt door de walvis als prefiguraties van de graflegging van Christus. Illustratie uit de *Biblia Pauperum*

Het begin van de bijbelillustratie

Met het verschijnen van gedrukte bijbels aan het einde van de 15de eeuw begon de illustratie van de bijbel als geheel op gang te komen. Aan het begin van de ontwikkeling staat de rijk geïllustreerde Keulse Bijbel die omstreeks 1478 werd gedrukt en die ook voor een deel van het Nederlandse taalgebied was bestemd. Met meer dan honderd houtsneden, voornamelijk bij de boeken van het Oude Testament, was deze bijbel tot ver in de 16de eeuw een voorbeeld voor latere illustratoren. In het voorwoord van de Keulse Bijbel wordt ingegaan op de functie van de afbeeldingen: zij dienen om de tekst beter te begrijpen en tevens hoopt de schrijver dat de beschouwer door de illustraties aangemoedigd wordt om de tekst te lezen.

In het tweede kwart van de 16de eeuw werden op grote schaal geïllustreerde Nederlandstalige bijbels gedrukt en onder brede lagen van de bevolking verspreid, zoals de Liesveldtbijbel (1526) en de Vorstermanbijbel (1528). Hierdoor raakten niet alleen veel meer mensen vertrouwd met het bijbelwoord, dat tot die tijd voornamelijk vanaf de kansel was verkondigd, maar er ontstond tevens steeds meer belangstelling voor de uitbeelding van bijbelse verhalen. Ook verhalen werden nu uitgebeeld die niet tot het bekende repertoire hadden behoord.

Terwijl in de geïllustreerde bijbels de nadruk bleef vallen op de uitbeelding van het Oude Testament, werden daarnaast de gebeurtenissen uit het Nieuwe Testament geïllustreerd in andere stichtelijke literatuur, zoals in postillen (bijbelcommentaren), plenaria (een toelichting op de bij de mis gebruikte evangelieteksten), passionalen (aan de lijdensgeschiedenis gewijde boekjes) of samenvattingen van de vier evangeliën, zoals *Dat leven ons Heeren* (1537) van Willem van Branteghem.[2]

Oudtestamentische verhalen in de prentkunst

Vanaf het begin van de 16de eeuw kende de uitbeelding van bijbelse verhalen dus een steeds grotere bloei. De verbreiding ervan vond niet alleen plaats door middel van boekillustraties, maar ook via de prentkunst, een medium dat vanaf het begin van de 16de eeuw in de Nederlanden bijzonder populair werd. Om de geschiedenissen zo nauwkeurig mogelijk te kunnen 'navertellen' werden uitvoerige prentenseries gemaakt, waarbij de belangrijkste episoden in chronologische volgorde in beeld werden gebracht. Die prenten werden vaak van verklarende teksten voorzien, zodat de onderwerpen direct herkenbaar waren en de voorstellingen als het ware de eigenlijke bijbeltekst vervingen.

Prenten hadden een brede verspreiding en werden ook gekocht door de middenklasse van de bevolking die zich geen dure schilderijen kon veroorloven. Zij werden in huis opgehangen, in mapjes bewaard, tot prentenboekjes samengebonden en waren geliefd als verzamelobject. Het wekt dan ook geen verwondering, dat veel kunstenaars bij prenten inspiratie vonden wanneer zij ontwerpen maakten voor toegepaste kunst. De erop afgebeelde voorstellingen dienden als voorbeeld voor glasruitjes, versieringen van schoorsteenmantels, meubels en andere voorwerpen van kunstnijverheid. Tot ver in de 17de eeuw bleef de 16de-eeuwse prentkunst een inspiratiebron en werden dezelfde prenten steeds weer herdrukt.

Vanaf de 16de eeuw begon de prefiguratie-gedachte van de oudtestamentische verhalen haar betekenis te verliezen en kreeg men steeds meer oog voor de zedelijke en didactische inhoud van de bijbelse geschiedenissen. De functie van de verhalen uit het Oude Testament als een handleiding ten aanzien van goed en kwaad, werd bijvoorbeeld benadrukt in het voorwoord van Jacob van Liesveldt op zijn Nederlandse bijbelvertaling van 1536, waarbij hij zich baseerde op de proloog van Luthers September-testament. De kern van zijn betoog is dat de oudtestamentische geschiedenissen te beschouwen zijn als een 'vast wetboek' waaruit de mens kan leren wat hij in het dagelijks leven doen en laten moet.

Dat de uitbeelding van bijbelse verhalen een didactische functie kan hebben is ook uit andere bronnen af te leiden. Erasmus pleitte in zijn *Paraclesis ad lectorem pium* voor een christelijke theologie die voor iedereen begrijpelijk moest zijn. Daarom moesten leken onderricht worden, opdat zij de christelijke filosofie in het leven van alledag konden toepassen. Ook in zijn *Enchiridion* benadrukte Erasmus het belang van kennis en inzicht als middelen voor een christelijk leven in de wereld en als wapens in de strijd tegen de hoofdzonden.

Lucas van Leyden (1489/94-1533) is een van de eerste Nederlandse kunstenaars die in zijn houtsneden, gravures en etsen bijzondere aandacht schonk aan de uitbeelding van de bijbel.[3] Behalve aan de bekende momenten uit de heilsgeschiedenis besteedde hij veel aandacht aan het Oude Testament. In een serie van vijf prenten uit 1512 beeldde hij de geschiedenis van Jozef uit: Jozef vertelt zijn dromen aan zijn vader Jacob; Jozef ontsnapt aan de avances van de vrouw van Potifar (afb. 23); Jozef verklaart in de gevangenis de dromen van de schenker en de bakker en na zijn vrijlating ook de dromen van de farao (Gen. 39-41). In zes prenten (1529) wordt de geschiedenis van Adam en Eva verteld: de schepping van Eva, de zondeval, de verdrijving uit het paradijs, Kaïn doodt Abel en Adam en Eva bewenen het lijk van Abel. In losse prenten behandelde Lucas van Leyden bovendien de thema's Lot en zijn dochters, Abraham zendt Hagar weg, Samson en Delila, David, Salomo, Ester en Suzanna.

Maarten van Heemskerck (1498-1574), een Haarlemse schilder en prentenontwerper, was degene die vanaf het eind van de jaren veertig het meest consequent grote delen van het Oude en Nieuwe Testament in prent bracht.[4] Bijna alle geschiedenissen uit Genesis bracht hij in uitvoerige prentenreeksen in beeld: de verhalen van Noach, Lot, Abraham, Izaäk, Jakob, Jozef, Juda en Tamar en Dina en Sichem. Ook besteedde hij veel aandacht aan de geschiedenissen uit de andere historische bijbelboeken: Gideon, Samson, Tamar en Amnon, Salomo, Achab en Nabot, Joas en Atalja, Suzanna, Tobias, Judith en Ester. Daarnaast vervaardigde hij een uit dertig prenten bestaande serie over het leven en lijden van Jezus en had hij oog voor bijbelse gelijkenissen die bij uitstek als zedelijk voorbeeld konden dienen: de verloren zoon, de ondankbare dienaar, de barmhartige Samaritaan en Lazarus en de rijke man.

Aan het eind van de 16de eeuw werden prenten met bijbelse onderwerpen door prentuitgevers verzameld en in speciale prentenboeken uitgegeven, zoals de *Thesaurus sacrarum historiarum veteris et novi testamenti* (1585)[5] van de Antwerpse uitgever Gerard de Jode. In de 17de eeuw nam het uitgeven van verzamelingen van bijbelse prenten een grote vlucht door de activiteiten van de Amsterdamse drukker Claes Jansz. Visscher, die in zijn *Theatrum Biblicum* (1643) en de *Grooten Figuer-Bibel* (1646) vele heruitgaven bundelde van prenten uit de 16de en het begin van de 17de eeuw.[6]

23 Jozef en de vrouw van Potifar. Gravure door Lucas van Leyden, 1512 (Rijksprentenkabinet, Amsterdam)

24 Batseba in bad of 'Gij zult niet echtbreken'. H.J. Muller naar M. van Heemskerck (British Museum, Londen)

Oudtestamentische verhalen als illustratie van de Tien Geboden

Veel van de tot nog toe genoemde prenten met bijbelse voorstellingen hebben in de eerste plaats een vertellend karakter, waarbij op overzichtelijke wijze de belangrijkste verhaalmomenten in beeld werden gebracht. De specifieke functie van oudtestamentische scènes als morele exempla, waar onder anderen Van Liesveldt op doelde, komt vooral tot haar recht in 16de-eeuwse uitbeeldingen van de Tien Geboden (Ex. 20:1-17). Bij elk gebod fungeert een verhaal uit het Oude Testament dat de overtreding van dit gebod in beeld brengt. Zo wordt de beschouwer op aanschouwelijke wijze geconfronteerd met de straf voor het overtreden van dat gebod.

De Duitse theoloog Philip Melanchton heeft het iconografische schema ervoor bedacht en het werd door de Duitse schilder Lucas Cranach in 1527 voor het eerst in prent gebracht. Sindsdien vindt men de voorstellingen niet alleen in Duitse Enchiridia en Catechismi terug, maar ook in Nederlandse geïllustreerde boeken waarin de Tien Geboden worden behandeld. Tevens werden de oudtestamentische verhalen als leerzaam exempel benut in losse prentenseries, zoals in de door Herman Janszoon Mullers gegraveerde serie de Tien Geboden (rond 1566) naar ontwerp van Maarten van Heemskerck.[7] Het eerste gebod (Gij zult geen andere goden voor mijn aangezicht hebben en geen gesneden beeld maken...) wordt door Heemskerck uitgebeeld door de dans rond het gouden kalf (Ex. 32:1-6); het tweede gebod (Gij zult de naam van de Here niet ijdel gebruiken) door de steniging van de godslasteraar uit Leviticus 24:10-23; het derde gebod (Gedenk de sabbatdag) door de man die op sabbat hout sprokkelde (Num. 15:32-36); het vierde (Eer uw vader en moeder) door de bespotting van de dronken Noach (Gen. 9:22-23); het vijfde (Gij zult niet doodslaan) door Kaïn doodt Abel (Gen. 4:8); het zesde (Gij zult niet echtbreken) door David en Batseba (2 Sam. 11:4; afb. 24); het zevende gebod (Gij zult niet stelen) door Achan verbergt het gestolen goed (Jozua 7:21); het achtste (Gij zult geen valse getuigenis afleggen) door Suzanna voor de rechter gebracht (Dan. 13:28-64); het negende (dat men de vrouw van zijn naaste niet mag begeren) door Jozef en de vrouw van Potifar (Gen. 39:11-12) en het tiende (Gij zult niet begeren uws naasten huis [...] noch zijn dienstknecht, rund, ezel of dienstmaagd) door Jakob verwerft een deel van Labans kudde (Gen. 30:25-34).

Wanneer men zich realiseert dat dergelijke voorstellingen direct met Gods geboden in verband werden

25 Suzanna in het bad. Uit de geschiedenis van Suzanna. C. de Passe de oude naar M. de Vos (Rijksprentenkabinet, Amsterdam)

26 Suzanna wordt ter executie weggeleid. Uit de geschiedenis van Suzanna. C. de Passe de oude naar M. de Vos (Rijksprentenkabinet, Amsterdam)

27 Suzanna teruggekeerd bij haar familie. Uit de geschiedenis van Suzanna. C. de Passe de oude naar M. de Vos (Rijksprentenkabinet, Amsterdam)

gebracht en een opvoedende waarde hadden, krijgt men meer oog voor het feit dat ook andere oudtestamentische thema's deze functie konden hebben.

Oudtestamentische heldinnen: Suzanna, Judith en Ester

Bij het onderzoek naar de populariteit van specifieke bijbelse thema's blijken vooral geschiedenissen te zijn uitgebeeld waarin vrouwen de hoofdrol spelen. Hun rol is in vrijwel alle gevallen bepaald door hun relatie tot een man.[8] Een verklaring voor de voorliefde voor dit onderwerp is ongetwijfeld het feit dat in de 16de eeuw de verhouding tussen man en vrouw en opvattingen over het huwelijk een steeds belangrijker thema werden in de literatuur, de moraalfilosofie en het maatschappelijk leven. Dit heeft uiteraard ook de nodige weerslag gevonden in de beeldende kunst, met name in de prentkunst. Een fraai voorbeeld is een houtsnede van de Amsterdamse schilder en prentenontwerper Cornelis Anthonisz. (ca. 1540), die een 'ideale man' en een 'ideale vrouw' in beeld bracht.[9] Hun aanbevolen eigenschappen worden duidelijk gemaakt door attributen die in de begeleidende Nederlandse verzen verklaard worden. Na het lezen van de verzen blijkt zonneklaar, dat de ideale eigenschappen van man en vrouw nogal verschillen: van de man wordt verwacht dat hij eerlijk, moedig, vroom, rechtvaardig, plichtsgetrouw en standvastig is; de plicht van de vrouw komt voornamelijk neer op een juiste instelling ten aanzien van haar echtgenoot, dat wil zeggen niet tegen andere mannen praten, niet door andere mannen aangeraakt worden en ten alle tijde kuis zijn. In het vers worden aan de ideale vrouw twee vrouwen uit het Oude Testament ten voorbeeld gesteld, een negatief en positief voorbeeld: Suzanna, die liever ter dood werd veroordeeld dan toe te geven aan de verleidingspogingen van twee oude mannen, en Batseba met wie de verliefde David echtbreuk pleegde en die wordt opgevoerd als een vrouw die niet had moeten gaan baden op een plaats waar David haar kon zien.

De uitbeelding van Batseba in de beeldende kunst beperkt zich meestal tot de scène die ook in de uitbeeldingen van de Tien Geboden voorkomt: Batseba zit in de buitenlucht te baden en wordt door David vanuit zijn paleis gezien, waarop hij haar een bode stuurt met het verzoek om bij hem te komen en de echtbreuk een feit wordt.[10] De geschiedenis van Suzanna, beschreven in Daniël 13, leende zich beter voor een behandeling in uitvoerige prentenreeksen. De kuise echtgenote van Jojakim uit Babylon, die vals beschuldigd werd van overspel, ter dood werd veroordeeld, maar wier onschuld tenslotte door tussenkomst van Daniël werd bewezen, sprak zeer tot de verbeelding en bleek een uitmuntend exempel te zijn om andere vrouwen ten voorbeeld te stellen. Zo is een serie van zes prenten (rond 1600) van de Antwerpse schilder en prentenontwerper Maarten de Vos (1532-1603), gegraveerd en uitgegeven door Crispijn de Passe de Oude, door de uitgever/graveur als een hommage opgedragen aan de weduwe Maria Vlodrop.[11] Volgens het opschrift op de eerste prent, die Suzanna in het bad (afb. 25) voorstelt, muntte mevrouw Vlodrop uit door zowel haar deugdzaamheid als haar edele afkomst en kan haar persoon dus vergeleken worden met de bijbelse Suzanna die niet inging op de verleidingspogingen van de twee oude mannen en door hen vervolgens ten onrechte beschuldigd werd van overspel. Een andere scène uit haar verhaal die vaak is uitgebeeld was de tussenkomst van Daniël (afb. 26), waarop te zien is hoe Suzanna na haar veroordeling wordt weggevoerd maar Daniël, overtuigd van haar onschuld, het onderzoek heropent. De twee bedriegers worden ontmaskerd en in plaats van Suzanna gestenigd. Tenslotte keert Suzanna ongedeerd terug in de schoot van haar familie (afb. 27).

De voorbeeldfunctie die Suzanna had zal er de reden van zijn dat haar verhaal ook vaak is afgebeeld op kasten en andere meubelstukken die in huis door vrouwen werden gebruikt. Meermalen is op die meubelstukken ook de geschiedenis van Jozef, met name zijn confrontatie met de vrouw van Potifar, te vinden. Deze scène benadrukt niet alleen de kuisheid van Jozef, maar is tevens als vermaning aan vrouwen te beschouwen om zich niet zo te gedragen als de vrouw van Potifar. Vanwege het aspect van de valse getuigenis en de rechtspraak van Daniël ziet men het Suzanna-verhaal overigens ook op schepenbanken en gerechtigheidstriptieken in stadhuizen afgebeeld.

Toch werd in de loop van de 16de eeuw in de prentkunst vooral de voorstelling van Suzanna in het bad populair. Suzanna begon steeds bloter uit te vallen en kreeg een onmiskenbaar erotische uitstraling, hoewel het voor elke beschouwer uit die tijd duidelijk geweest moet zijn dat ze standvastig in haar weigering bleef. Als een mooie naakte vrouw, die de begeerte van mannen opwekt, verschijnt Suzanna op een prent uit 1620 van Lucas Vorsterman naar ontwerp van Rubens. Ondanks het erotische karakter van de voorstelling is ook deze prent door Rubens 'als een exemplum van kuisheid' aan een deugdzame dame opgedragen, en wel aan de

28 Judith onthooft Holofernes. Uit de geschiedenis van Judith. Ph. Galle naar M. van Heemskerck, 1564 (Prentenkabinet, Leiden)

29 Ester hoort van de plannen van Haman. Uit de geschiedenis van Ester. Ph. Galle naar M. van Heemskerck (cat. nr. 9)

30 Ester voor Ahasveros. Uit de geschiedenis van Ester. Ph. Galle naar M. van Heemskerck (cat. nr. 9)

31 Het feestmaal van Ester. Uit de geschiedenis van Ester. Ph. Galle naar M. van Heemskerck (cat. nr. 9)

bekende Anna Roemer Visscher. Maar Rubens zelf spreekt in zijn brieven tamelijk luchtig over het ernstige onderwerp en degene aan wie hij zijn voorstelling beschrijft, spreekt zelfs de hoop uit dat Rubens' Suzanna zó mooi is uitgevallen, dat zij zelfs oude mannen in hartstocht kan doen ontvlammen.[12]

Ook de geschiedenis van Judith was bijzonder populair. Meer dan op kuis gedrag valt in haar geval het accent op haar dapperheid en moed waarmee zij haar stad Betulia van de ondergang redde. Een prentenserie naar Heemskerck uit 1564, gegraveerd door Philips Galle, beeldt acht verschillende episoden uit haar verhaal uit.[13] De gebeurtenis die echter het meest werd uitgebeeld, was de scène waarin Judith, die met Holofernes alleen achterbleef in zijn tent, het hoofd van de legeraanvoeder afslaat met zijn eigen zwaard (afb. 28). Daarop sloeg het leger van Holofernes in paniek op de vlucht en werd de belegering van Bethulië opgeheven.

Ook Ester is de redder van veel mensen, niet zoals Judith van de bewoners van één stad, maar van de joden als een heel volk. In hetzelfde jaar 1564 brachten Philips Galle en Maarten van Heemskerck ook haar geschiedenis door middel van acht prenten in beeld.[14] Op de eerste prent kroont koning Ahasveros zijn joodse bruid Ester als koningin. Op de tweede prent luistert Esters pleegvader Mordechai twee hovelingen af, die een aanslag op Ahasveros beramen. Op de derde prent geeft Ahasveros aan Haman, die een hoge positie aan het hof had en vertoornd was dat Mordechai niet voor hem wilde knielen, toestemming om onder valse voorwendselen het joodse volk te vernietigen. Vervolgens hoort Ester van bedienden dat Mordechai geweigerd heeft voor Haman te knielen en over de snode plannen die deze beraamt (afb. 29). Ondanks het verbod om onaangekondigd bij de koning te verschijnen (waarop de doodstraf stond), kleedde Ester zich op haar mooist aan en verscheen zij voor haar echtgenoot om hem voor een feestmaal uit te nodigen (afb. 30). Ondertussen besefte Ahasveros dat hij Mordechai niet voor diens trouw had beloond en eerde hij hem met hoge eerbewijzen. Toen de koning tenslotte, samen met Ester en Haman, aanzat aan het feestmaal dat Ester had bereid (afb. 31), vertelde zij hem over de aanslag op haar volk en Mordechai die Haman in de zin had. Daarop werd Haman zelf ter dood gebracht.

Dit verhaal heeft Heemskerck geheel volgens de bijbeltekst weergegeven, maar zo'n uitvoerige behandeling blijft een uitzondering. Gebruikelijker is een weergave van één bepaalde gebeurtenis uit het verhaal: de scène waarin Ester onaangekondigd voor de koning verschijnt, die haar deze vrijpostigheid niet kwalijk neemt vanwege haar aantrekkelijke verschijning en haar, als teken van zijn gunst, zijn scepter toereikt (afb. 30). Niet alleen geeft deze scène Esters moed aan, maar ook biedt Ahasveros' aanvaarding van haar uitnodiging voor het feestmaal haar de gelegenheid haar volk van de ondergang te redden.

Vrouwenlisten

Suzanna, Judith en Ester zijn positieve voorbeelden uit het Oude Testament. Maar ook bijbelse vrouwen die niet zo'n fraaie rol spelen, zijn vaak als waarschuwend voorbeeld in beeld gebracht.[15] Lucas van Leyden maakte rond 1514 en rond 1517 twee series houtsneden, die de boze listen van vrouwen uit het Oude en Nieuwe Testament weergeven.[16] In de eerste serie worden uitgebeeld: Eva verleidt Adam tot het eten van de appel (Gen. 1:3), Delila verleidt Samson ertoe het geheim van zijn kracht te verraden (Ri. 16:4-20), Koning Salomo aanbidt op aansporing van zijn vrouwen heidense goden (1 Kon. 11:1-8), en Salome neemt het hoofd van Johannes de Doper in ontvangst (Mar. 6:21-28). In de tweede serie treden wederom Eva, Delila, Salome en de vrouwen van koning Salomo op, maar hieraan voegde Lucas twee andere verhalen toe: Jaël en Sisera en Izebel en Achab (afb. 32). Jaël lokte Sisera, de vluchtende legeraanvoerder van de Kanaänieten, naar haar tent en sloeg hem een ijzeren pin door het hoofd (Ri. 4:12-24). Koning Achab lag ziek van verlangen naar de wijngaard van Nabot in bed. Zijn echtgenote Izebel stookte hem op om Nabot op slinkse wijze te laten ombrengen, zodat zij diens wijngaard in hun bezit konden krijgen (2 Kon. 9:30-37).

33 Lot en zijn dochters. Uit een serie vrouwenlisten (1551). D. V. Coornhert naar M. van Heemskerck (Albertina, Wenen)

32 Izebel stookt Achab op. Uit een serie vrouwenlisten. Lucas van Leyden (Rijksprentenkabinet, Amsterdam)

Met uitzondering van Jaël, die een tegenstander van de Israëlieten doodde, betreft het hier dus steeds vrouwen die een negatieve rol hebben gespeeld. Voor andere kunstenaars die de macht van de vrouw over de man uitbeeldden, deed het er minder toe of die invloed van de vrouw nu positieve of negatieve gevolgen had. Zo etste Dirck Volkertsz. Coornhert naar ontwerp van Heemskerck in 1551 zes vrouwenlisten: Adam en Eva, Lot en zijn dochters (afb. 33), waarop te zien is hoe de dochters van Lot hun vader dronken voerden om gemeenschap met hem te kunnen hebben (Gen. 19:30-38), Jaël en Sisera, Judith en Holofernes, Delila en Samson en Salomo en zijn vrouwen.[17] Philips Galle koos in een ruim tien jaar later ontstane prentenserie voor precies dezelfde momenten. De vijfde prent (afb. 34) geeft Salomo weer, terwijl hij door zijn vrouwen wordt aan-

34 Koning Salomo aanbidt een heidense god. Uit een serie vrouwenlisten door Ph. Galle (Gemeentearchief, Haarlem)

gezet om een heidens godenbeeld te aanbidden. Uit de Latijnse teksten in de cirkelvormige omlijstingen van Galle's serie blijkt, dat de gekozen vrouwen exemplarisch zijn voor de macht van de vrouw over de man en dat hun wapens bedrog, listigheid, vleierij of hartstocht zijn.[18] Of deze vrouwen nu een heldendaad hebben verricht (zoals Jaël en Judith) of juist de oorzaak van ellende waren (Eva, Lots dochters, Delila en Salomo's vrouwen) lijkt er minder toe te doen. Zij dragen een actuele boodschap uit, die deze bijbelse verhalen tot morele exempla maakt.

Exemplarische vrouwen uit het Oude en Nieuwe Testament

Niet alleen werden bijbelse vrouwen in hun rol van verleidster uitgebeeld, maar ook als voorbeelden van deugdzaamheid. Zo bracht Maarten van Heemskerck in een serie van acht prenten van rond 1560 exemplarische vrouwen zowel uit het Oude als het Nieuwe Testament in beeld.[19] De narratieve context is in deze voorstellingen op de achtergrond geraakt, zodat deze bijbelse vrouwen als het ware personificaties van deugden zijn geworden. De tekst bij Ester benadrukt haar vroomheid, die bij Jaël en Judith hun moed. Een nieuwe figuur is Ruth uit het gelijknamige bijbelboek. Zij was de overgrootmoeder van David, die er in slaagde de echtgenote te worden van Boaz en zo haar nageslacht veilig stelde. Van Ruth zegt de tekst, dat zij zowel een echtgenoot als eeuwige roem verkreeg. Ook Abigaïl maakt deel uit van het rijtje. Na de weigering van haar echtgenoot Nabal om David en zijn mannen voedsel te geven, kwam zij David met eten en drank tegemoet en wist zij Davids woede te kalmeren (1 Sam. 25). De tekst op de prent roemt vooral haar verstand. Tenslotte wordt van Suzanna uiteraard haar kuisheid geprezen. Deze zes vrouwen zijn allen als voorlopers te beschouwen van de twee meest prominente vrouwen uit het Nieuwe Testament die de serie besluiten: Maria, de moeder van Christus en Maria Magdalena, de zondares die Jezus' voeten zalfde (Luc. 7:36-50) en aan wie Jezus na zijn opstanding als hovenier verscheen (Joh. 20:14-18). Bij deze combinatie van oudtestamentische en nieuwtestamentische vrouwen speelde wellicht nog de oude prefiguratiegedachte mee, want zowel Judith als Jaël zijn een traditionele voorafbeelding van de Madonna die de duivel overwint.

In de loop der tijd werden dergelijke series steeds uitgebreider. Naar ontwerp van Maarten de Vos graveerde Johannes Collaert een serie van twintig beroemde vrouwen uit het Oude Testament.[20] Als motto op de titelpagina fungeert een citaat uit Spreuken 31:30: 'Een vrouw die de Here vreest, die is te prijzen.' Verschillende

35 Abigaïl. Uit een serie beroemde vrouwen uit het Oude Testament. Joh. Collaert naar M. de Vos (cat. nr. 11)

vrouwen die reeds ter sprake kwamen, zijn in de reeks vertegenwoordigd, zoals de hoofdpersonen uit de vrouwenlisten en bekende figuren als Sara, Ruth, en Abigaïl (afb. 35). Maar het grootste gedeelte bestaat uit vrouwen die in die tijd zelden werden uitgebeeld: Lea, Rachel, Rebekka, Debora, Rahab, Mirjam (de zuster van Mozes en Aäron), de moeder van Samson, de moeder van Samuël en de moeder van de Makkabeeën. Eva leidt de serie in, nu niet als verleidster en de aanleiding tot de zondeval, maar als de 'oermoeder' en 'oerechtgenote', die druk bezig is met spinnen.

In het Nieuwe Testament wordt niet zo veel aandacht aan vrouwen besteed als in de daaraan voorafgaande bijbelboeken, maar toch spelen in het leven van Jezus verschillende vrouwen een rol. Zijn moeder Maria en Maria Magdalena zijn reeds vermeld. Grootmoeder Anna, die in de beeldende kunst een belangrijke plaats inneemt, komt in de bijbel echter niet voor; wel Elizabet, de moeder van Johannes de Doper, en de zusters Marta en Maria (Luc. 10), die vaak worden uitgebeeld. Een ander vrouw die af en toe in beeld verschijnt, is de Samaritaanse vrouw die Jezus bij de bron ontmoette en hem als de Messias herkende (Joh. 4:4-30). Ook Jezus' genezingen waarbij een vrouw betrokken was werden soms uitgebeeld, zoals de vrouw met een bloedziekte (Mat. 9:19-22) of de vrouw van Kanaän die een zieke dochter had (Mat. 15:22-28).

Reeksen met uitsluitend nieuwtestamentische vrouwen zijn zeldzaam. Maarten de Vos heeft als een van de weinigen zo'n prentenreeks ontworpen. Zijn serie, gegraveerd door Carel de Mallery, Johannes en Adriaan Collaert, bestaat uit veertien 'beroemde vrouwen' en diende als pendant bij zijn reeds genoemde serie oud-testamentische vrouwen.[21] Uiteraard begint de reeks met de maagd Maria, gevolgd door Anna, Elizabet, de profetes Hanna en de Samaritaanse vrouw. Daarna komt de overspelige vrouw (Joh. 8:2-11) in beeld. Dit impliceert dat niet alle gekozen voorbeelden geheel 'vlekkeloos' hoefden te zijn, zoals ook reeds bleek uit De Vos' keuze van de oudtestamentische vrouwen. Vervolgens zijn drie vrouwen uitgebeeld die bij Jezus' genezingen een rol speelden. Na Marta, Maria Magdalena en Maria Salome wordt de serie afgesloten door Tabita, die door Petrus uit de dood werd opgewekt (Hand. 9:36-41).

De negen heldinnen

Zoals de eerder genoemde reeksen aantonen, bestond in het verleden een grote behoefte aan een duidelijke indeling in categorieën. Ook mannelijke helden werden in rubrieken onderverdeeld. In de 14de eeuw onstond een vast schema van negen dappere mannen, dat tot en met de 17de eeuw in dezelfde samenstelling terugkwam, zowel in de literatuur als de beeldende kunst: drie vertegenwoordigers van het heidendom, drie van het Oude Testament en drie van de geschiedenis van het christendom. Deze verdeling in tijdperken komt overeen met de indeling van de wereldgeschiedenis zoals die reeds door Augustinus was geformuleerd.[22] De helden uit het Oude Testament die in deze reeks fungeren zijn allen militaire leiders: Jozua, de opvolger van Mozes die door zijn militaire overwinningen in het beloofde land de verdeling van het grondgebied onder de twaalf stammen van Israël mogelijk maakte; David, die na de dood van Saul tot koning van Juda werd uitgeroepen en van de twaalf stammen een homogene natie maakte; en Judas de Makkabeeër, staatsman en legeraanvoerder uit de boeken der Makkabeeën die de opstand tegen de Syriërs leidde en de joodse eredienst in de tempel te Jeruzalem herstelde.

Naar analogie van de reeks van mannelijke helden onstond aan het begin van de 16de eeuw ook een reeks van negen heldinnen. Ook zij vertegenwoordigen de drie genoemde tijdperken van de geschiedenis. Voor het

36 De dochter van Jefta. Uit een serie van negen heldinnen door C. de Passe de oude (Bibliothèque Nationale, Parijs)

eerst staat het negental afgebeeld op drie houtsneden van de Duitse kunstenaar Hans Burkmair (1516).[23] De drie vrouwen die de periode van Mozes vertegenwoordigen zijn Jaël, Ester en Judith. Zoals we gezien hebben, was hun geschiedenis óf door aan hen gewijde losse prenten of prentenseries óf door series met vrouwenlisten een bekend onderwerp in de beeldende kunst. Hun parallellen uit het heidendom zijn Lucretia, Veturia en Virgina; voor de drie heldinnen uit de periode van het christendom werd niet voor nieuwtestamentische vrouwen gekozen, maar voor latere heiligen: Helena, Brigitta en Elizabeth.

Opmerkelijk is dat in de loop der tijd bij de keuze van de drie heldinnen uit het Oude Testament enkele opvallende veranderingen optreden. Bij de overgang naar de 17de eeuw blijkt Jaël vervangen te zijn door de dochter van Jefta en Ester door Suzanna. Zo'n afwijking van de traditie berust niet op toeval, maar heeft te maken met een verschuiving van normen en waarden en een veranderende visie ten aanzien van de vrouw. Om de diepere oorzaken van die verandering te achterhalen moet de voorbeeldfunctie van de betreffende oudtestamentische vrouwen nader bekeken worden.

Zoals bij de vrouwenlisten reeds ter sprake kwam, bestaat de rol van Jaël erin dat zij legeraanvoerder Sisera in haar tent lokte en doodde. Haar kwaliteiten, die haar deden uitsteken boven andere vrouwen en zoals die in het randschrift van de prent van Philips Galle waren omschreven, komen neer op 'sluwheid', 'geveinsde onderdanigheid' en 'dapperheid.' Ook Ester is door haar moed en vroomheid een redder van het joodse volk. Ondanks hun roem ontbreken Jaël en Ester echter in een serie van negen heldinnen (1600-1602) van Crispijn de Passe de Oude.[24] De Passe hield er bij zijn ordening van exemplarische vrouwen namelijk nóg een principe op na, dat niet zo consequent bij eerdere series was gehanteerd. Behalve dat hij traditiegetrouw zijn voorbeelden koos uit de drie tijdperken heidendom, jodendom en christendom, verdeelde hij de vrouwen uit elk van deze categorieën bovendien nog in maagden, echtgenoten en weduwen. Hiermee lijkt De Passe een zo uitgebreid mogelijk veld van goede voorbeelden te willen bestrijken en tegelijkertijd wordt zo gesuggereerd dat bij heidenen, joden en christenen dezelfde waarden ten aanzien van vrouwelijke deugden golden.

Nu was Jaël geen maagd maar, zoals in Richteren 4:17 wordt vermeldt, de vrouw van een Keniet. Daarom verving De Passe haar door de dochter van Jefta (afb. 36). Jefta bevrijdde zijn vaderland Gilead van de Ammonieten dankzij een gelofte aan God: wanneer hij behouden naar huis zou terugkeren, zou hij het eerste wat hem uit zijn huis tegemoet kwam aan God offeren. Toen de vader na zijn overwinning thuiskwam, heette zijn enig kind, zijn dochter, hem welkom. Van spijt trok Jefta zich uiteraard de haren uit het hoofd, maar het meisje zelf vond dat hij zijn belofte moest houden. Het enige wat zij wilde was twee maanden uitstel, zodat zij samen met haar vriendinnen haar maagdelijkheid kon bewenen. Na die twee maanden werd zij inderdaad geofferd, zonder dat zij met een man gemeenschap had gehad (Ri. 11:30-40). De tekst in het ovaal van de prent luidt vertaald: 'Ik, die als slachtoffer gevallen ben van de onvoorzichtige gelofte van mijn vader, heb mijzelf tot toonbeeld gemaakt van ongeschonden maagdelijkheid.' Onder haar portret is een toepasselijke parafrase op 1 Korintiërs 7:34 gegraveerd, Paulus' lofzang op de maagdelijkheid: 'Onderscheiden zijn zij, zowel degenen die echtgenote zijn als zij die maagd zijn. Maar degene die niet getrouwd is wijdt haar zorgen aan de zaak des Heren om heilig te zijn naar lichaam en geest.'

De tweede vrouw uit de oorspronkelijke trits oudtestamentische heldinnen, Ester, was weliswaar een echtgenote, maar bleek in De Passe's ogen toch niet geheel te voldoen. Waarom, moge blijken uit de teksten die haar vervangster Suzanna meekreeg: 'Ik, de getrouwe, die mijn kuisheid bijna met de dood heb gered, lever het voorbeeld van de dappere en kuise echtgenote.' Opnieuw is Suzanna om haar befaamde kuisheid uitgekozen, want hoe dapper en slim Ester ook was, kuisheid komt in haar geschiedenis niet ter sprake. Onder de afbeelding van Suzanna leest men nog een bijbelcitaat, 1 Petrus 3:1, 3 en 4, een passage die de plicht van echtgenoten behandelt: 'Desgelijks moet gij, vrouwen, onderdanig zijn aan uw mannen. etc. .. Uw sieraad zij niet uitwendig: het vlechten van het haar, het omhangen van goud of het dragen van gewaden, maar de verborgen mens uws harten, met de onvergankelijke tooi van een zachtmoedige en stille geest, die kostbaar is in het oog van God.' Ondanks het feit dat Suzanna bereid was haar kuisheid met de dood te betalen, lijkt De Passe met dit citaat te willen aangeven, dat de onplezierige situatie voorkomen had kunnen worden wanneer de onfortuinlijke echtgenote minder zorg aan haar uiterlijk had besteed.

De derde vrouw uit de trits is de weduwe Judith (afb. 37), wier geschiedenis al uitvoerig ter sprake is gekomen. Judith is afgebeeld als een fraai geklede vrouw met het hoofd van Holofernes in de handen. De tekst in het ovaal luidt: 'Ik, die eens Holofernes onthoofd heb in zijn eigen legerkamp, lever het voorbeeld van een dappere en kuise weduwe.' Opnieuw is kuisheid dus het trefwoord. Maar ook al fungeert Judith vaker als het symbool van kuisheid (de bijbel vermeldt niet of er iets is voorgevallen toen zij met Holofernes alleen in zijn tent verbleef), niet te ontkennen valt dat haar onderneming in dat opzicht wél de nodige risico's meebracht (vergelijk Judith 12:11). Het citaat uit een brief van Paulus (1 Tim. 5: 5-7), dat onder Judiths portret staat gegraveerd en dat handelt

37 Judith. Uit een serie van negen heldinnen. C. de Passe de oude (Rijksprentenkabinet, Amsterdam)

over weduwen, moet eventuele misverstanden echter geheel uit de wegruimen: 'Een ware weduwe dan, die alleen staat, heeft haar hoop op God gevestigd en volhardt in haar smekingen en gebeden dag en nacht; doch zij, die een los leven leidt, is levend dood. Ook deze dingen moet gij bevelen, opdat zij onberispelijk blijven.'

Conclusie

Bijbelse prenten hebben dus als leerzame voorstellingen gediend. Met name verhalen waarin vrouwen een hoofdrol vervullen, werden voor dit doel geschikt geacht en het is niet uitgesloten dat dergelijke prenten mede voor prentliefhebbers van het vrouwelijke geslacht waren bedoeld. Zo werden door middel van de prentkunst de bijbelse geschiedenissen onder brede lagen van de bevolking verspreid en vonden zij ook hun bestemming in het huisgezin. Naast hun artistieke waarde, fungeerden prenten als hulpmiddel bij het introduceren of bevestigen van bepaalde normen en waarden, waarbij de bijbelse verhalen als leidraad dienden: de bijbelse stof geactualiseerd.

I.M. Veldman

1. Zie A. Henry, *Biblia pauperum. A facsimile and edition*, Ithaca 1987 en H. Appuhn (ed.), *Heilsspiegel. Die Bilder des mittelalterlichen Erbauungsbuches 'Speculum humanae salvationis'*, Dortmund 1981.
2 Zie I. Veldman en K. van Schaik, *Verbeelde boodschap. Houtsneden uit 1537*, Haarlem 1989.
3. Zie voor afbeeldingen J.P. Filedt Kok, cat. tent. *Lucas van Leyden. Grafiek*, Amsterdam 1978 (Rijksprentenkabinet, Rijksmuseum, Amsterdam) 1978.
4. Zie voor afbeeldingen van de door Dirck Volkertsz. Coornhert en Philips Galle gemaakte prenten naar Heemskerck *The Illustrated Bartsch*, dl. 55 en dl. 56.
5. Zie H. Mielke, 'Antwerpener Graphik in der 2. Hälfte des 16. Jahrhunderts', *Zeitschrift für Kunstgeschichte* 30 (1975) 140-184.
6. Zie het artikel van W.C.M. Wüstefeld, p. 21.
7. Zie G. Schiller, *Ikonographie der christlichen Kunst, IV-1: Die Kirche*, Gütersloh 1976, p. 121-134 en I.M. Veldman, 'Maarten van Heemskercks visie op het geloof', *Bulletin van het Rijksmuseum* 35 (1987) 193-210 (204).
8. Zie voor uitbeeldingen van goede en slechte vrouwen bijvoorbeeld: cat. tent. Nijmegen 1985; cat. tent. Utrecht 1985; Veldman 1986.
9. C.M. Armstrong, *The moralizing prints of Cornelis Anthonisz*, Princeton 1990, p. 72-78 en afb. 89.
10. Zie voor uitbeeldingen van de geschiedenis E. Kunoth-Leifels, *Über die Darstellungen der 'Bathseba im Bade'*, Essen 1962.
11. Hollstein, 15, p. 133, nrs. 51-56.
12. Zie E. MacGrath, Rubens's 'Susanna and the elders' and moralizing inscriptions on prints, *Wort und Bild in der niederländischen Kunst und Literatur des 16. und 17. Jahrhunderts*, H. Vekeman en J. Müller Hofstede (ed.), Erftstadt 1984, p. 73-90.
13. Afgebeeld in *Illustrated Bartsch*, 56 (zie noot 4), p. 57-64.
14. *Illustrated Bartsch*, 56, p. 65-72.
15. Zie bijvoorbeeld J. Schneider, Die Weiberlisten, *Zeitschrift für Schweizerische Archäologie und Kunstgeschichte* 20 (1960), 147-157; S.L. Smith, *'To Women's Will I Fell'. The power of women topos and the development of medieval secular art*, Pennsylvania 1978 (diss.); T. Vignau Wilberg-Schuurman, *Hoofse minne en burgerlijke liefde in de prentkunst rond 1500*, Leiden 1983, p. 43-58 ; cat. tent. Nijmegen 1985, p. 164-179.
16. Afgebeeld bij Filedt Kok (zie noot 3), p. 140-143.
17. Afgebeeld in *Illustrated Bartsch*, 55, p. 161-166.
18. Afgebeeld in *Illustrated Bartsch*, 56, p. 97-102; met vertaling van de Latijnse teksten in cat. tent. Nijmegen 1985, cat. nrs. 4, 8, 16, 18, 25 en 31.
19. Afgebeeld in *Illustrated Bartsch*, 56, pp. 221-228; zie ook cat. tent. Nijmegen 1985, cat. nrs. 76-83 (met vertaling van de Latijnse teksten).
20. Hollstein, 4 (zie noot 10), p. 211, nrs. 13-32.
21. Niet bij Hollstein. Aanwezig o.a. in Rijksmuseum Het Catharijneconvent, Utrecht (BMH G 282).
22. Zie H. Schroeder, *Der Topos der Nine Worthies in Literatur und bildender Kunst*, Göttingen 1971; cat. tent. Haarlem 1986, p. 88-94.
23. Afgebeeld in cat. tent. Nijmegen 1985, p. 134-136.
24. Hollstein, 15, p. 171, nrs. 359-367.

Bijbelse voorstellingen in het Nederlandse interieur

Een Rembrandt in huis

Wanneer men een Rembrandt wil zien, gaat men gewoonlijk naar een museum, de geëigende plaats voor een dergelijk kostbaar kunstwerk. Ook vindt men soms werk van Rembrandt in privéverzamelingen van een miljonair of van een lid van een buitenlands vorstenhuis. Zelfs de kluis van een bank, waaraan een belegger zijn kostbaarste bezit heeft toevertrouwd, komt als bewaarplaats in aanmerking. Een huiskamer waar een Rembrandt gewoon aan de wand hangt, is voor ons nu moeilijk voor te stellen.

Toch zijn de meeste Rembrandts oorspronkelijk geschilderd om bij gegoede Hollandse burgers de huiskamer te verfraaien. Toen de kunstwaarde van dergelijke schilderijen in de loop der tijden steeds hoger werd en musea en rijke verzamelaars op jacht gingen naar schilderijen van deze meester, verdwenen Rembrandts werken uit het Nederlandse interieur. De doop van de kamerling, een jeugdwerk van Rembrandt, is een van de laatste Rembrandts, die zich gewoon in een huiskamer bevond (afb. 38). Voordat het een goede vijftien jaar geleden als een werk van Rembrandt werd herkend, hing het namelijk onopgemerkt boven een schrijfbureau in de woning van een mevrouw, die het via haar vader van haar grootvader had geërfd. Toen de eigenaresse vernam dat dit erfstuk niet zomaar een schilderij was, maar een werk van Rembrandt, reageerde zij zoals bijna iedere Nederlander zou doen: 'Dit schilderij hoort in een museum thuis'. Dit vroege werk van Rembrandt is dan ook nu te bewonderen in Rijksmuseum Het Catharijneconvent.

Toch is het goed om voor ogen te houden dat het schilderij bedoeld was voor een huiselijke omgeving. Voor de oorspronkelijke koper van schilderijen speelde de eventuele kunstwaarde ervan doorgaans niet de belangrijkste rol. Het ging hem meestal allereerst om de voorstelling. Een portret moest lijken of de waardigheid van de opdrachtgever tot uiting laten komen. Een landschap moest de beschouwer in een plezierige stemming brengen. Een jager genoot van een imponerend jachtstilleven en een koopman zal graag een schilderij met schepen op zee aan de wand gehad hebben. Zo hadden, om het modern uit te drukken, alle onderwerpen hun specifieke doelgroepen, maar natuurlijk verlangde de man met smaak en de kunstkenner, dat de voorstelling daarnaast ook goed geschilderd was en artistieke kwaliteit vertoonde.

Het bijbels humanisme

Een speciale plaats namen die voorstellingen in, die een belerende en vermanende functie hadden. Zo herinnerde een afbeelding van een schedel in gezelschap van een

38 Huiskamer waarin Rembrandts Doop van de kamerling nog aan de wand hangt

zandloper, zeepbellen, glas en pronkzilver de beschouwer aan de vergankelijkheid van al het aardse en de tijdelijkheid van het leven.

Schilderijen met heroïsche scènes uit de klassieke oudheid droegen de boodschap uit, dat men net als de grote mythische helden een leven moest leiden, dat getuigde van moed en hoge zedelijke principes. Op gelijke wijze riepen bijbelse taferelen de mens op om zijn leven in te richten overeenkomstig Gods geboden en om Christus en de grote figuren uit het Oude en Nieuwe Testament na te volgen. Zowel bijbelse geschiedenissen als de verhalen uit de Griekse en Romeinse oudheid bevatten zedelijke lessen die de burger tot nut konden strekken. Het zijn deze moralistische en moraliserende voorstellingen die in onze streken al vanaf het begin van de 16de eeuw populair werden. De opkomst ervan houdt verband met de verbreiding van het humanisme in onze streken.

Kenmerkend voor deze geestelijke stroming was het grote belang dat gehecht werd aan de cultuur van de klassieke oudheid. Men ging aan de geschriften van de Grieken en Romeinen, die voorheen vooral als heidens waren beschouwd, een bijna even grote of soms zelfs grotere zedelijke waarde toekennen als aan de leer van de kerk. Ook de bijbelse geschiedenissen kregen deze betekenis. In de middeleeuwen had het Nieuwe Testament centraal gestaan. Het Oude Testament, dat de heilsgeschiedenis bevat van het volk van Israël, beschouwde men als afgedaan. Door de komst van

39 Het bezoek van de drie engelen aan Abraham. Detail van een tafelkleed (cat. nr. 37)

Christus was de wereld immers verlost en was een nieuwe periode van de heilsgeschiedenis begonnen. De belofte van God aan Zijn volk, dat Hij hen zou bevrijden, was ingelost en het Oude Testament was voortaan nog slechts een voorspel en een voorafbeelding van het Nieuwe Testament. Tegelijkertijd met de opkomst van het humanisme kwam hierin verandering. Men ging in de boeken van het Oude Testament waardevolle geestelijke lessen ontdekken; de verhalen van de aarts vaders, profeten en koningen lieten net als de geschiedenis van Jezus zien hoe men een zedelijk hoogstaand leven moest leiden. De bijbel werd in zijn geheel serieus genomen. Dit was vooral het geval bij degenen, die de kerk wilden hervormen, zoals Luther en andere reformatorisch gezinden. Velen, speciaal in kringen van meer geletterden, kenden aan de verhalen uit de bijbel en uit de klassieke oudheid een gelijke voorbeeldige waarde toe. Zij worden bijbelse humanisten genoemd. Hun meest bekende vertegenwoordiger is Erasmus. Het is deze geesteshouding die in de 16de maar ook nog in de 17de eeuw de gedachtenwereld van de geletterde Nederlandse burgerij zou bepalen. In de ons omringende, katholieke landen was onder invloed van de Contrareformatie aan het einde van de 16de en de 17de eeuw een heropleving, zij het in gewijzigde vorm, van de middeleeuwse, vooral de emotie aansprekende thematiek te zien. In de noordelijke Nederlanden daarentegen, waar leven en cultuur door de Reformatie werden beheerst, zou het bijbels humanisme de voorstellingswereld diepgaand bepalen.

Soms bestaat er een duidelijke band tussen bepaalde voorstellingen en de opkomst en verbreiding van de Reformatie. Terwijl de middeleeuwse kerk veel waarde hechtte aan goede werken, werd de mens volgens Luther allereerst behouden door de genade van Christus en niet door zijn eigen verdiensten. Deze opvatting vond men terug in de geschiedenis van de overspelige vrouw die ondanks haar zonden door Christus' barmhartigheid werd gered. Voorstellingen van dit verhaal komen veel voor in de 16de en 17de eeuw, speciaal in kringen die de leer van Luther waren toegedaan. Ditzelfde geldt voor thema's als de verloren zoon of Christus bij Marta en

40 Jozef vluchtend voor de vrouw van Potifar. Pieter Coecke van Aelst (cat. nr. 8)

41 Drieluik met de ontmoeting tussen David en Abigaïl. School Jan van Scorel (cat. nr. 7)

Maria, waarbij Christus Maria prijst omdat zij luistert naar Zijn woord, terwijl Marta werkt in de keuken.

Het schilderij van Rembrandt met de doop van de kamerling is specifiek in verband te brengen met de leer van Calvijn. In de Handelingen der Apostelen wordt verhaald hoe een engel aan de geloofsverkondiger Filippus de opdracht gaf zich naar de weg van Jeruzalem naar Gaza te begeven. Daar ontmoette hij een Moorse kamerling, de opperschatmeester van de koningin der Ethiopiërs, een eunuch, die terugkeerde van een pelgrimstocht naar Jeruzalem. Gezeten in zijn reiswagen las deze het boek van de profeet Jesaja, maar hij kon de betekenis van de tekst niet doorgronden. Filippus ging naar de kamerling toe en bood hem aan de tekst te verklaren. Hij stapte bij hem in de wagen en verkondigde hem aan de hand van Jesaja de leer van Christus. Toen de kamerling doordrongen was van de waarheid van deze leer van Christus en zij bij een watertje gekomen waren, gaf hij aan Filippus te kennen dat hij gedoopt wilde worden en aldus geschiedde.

Dit verhaal is aan het begin van de 17de eeuw opvallend vaak afgebeeld. Uit een bijschrift van een prent die Claes Jansz. Visscher maakte van het onderwerp, blijkt dat men onder meer getroffen werd door het feit dat door de doop wel de ziel van de kamerling wit gemaakt werd maar niet zijn huid. Dit gegeven zal echter niet zozeer de reden geweest zijn van de grote populariteit van dit verhaal als wel het feit dat het overeenkomt met de calvinistische opvatting over het sacrament van de doop. De katholieke kerk kent zeven sacramenten met als voornaamste de doop, zonder welke het onmogelijk is zalig te worden. De calvinisten kennen slechts twee sacramenten, doop en avondmaal. De doop is er echter geen voorwaarde tot uitverkiezing. Op de eerste plaats komt het geloof in Christus, waardoor men tot het nieuwe godsvolk gaat behoren. De doop is een bezegeling van dit geloof. Het verhaal van de doop van de kamerling sluit naadloos aan bij deze opvatting. Het is dan ook waarschijnlijk, dat de vele schilderijen met deze voorstelling, zoals ook dat van Rembrandt, oorspronkelijk bestemd zijn geweest voor mensen met een calvinistische geloofsovertuiging. De voorstelling spoorde de bezitter aan tot een even diep geloof als dat van de zwarte man met zijn witte ziel en herinnerde hem tevens aan zijn eigen doop als teken dat hij deel uitmaakte van het door Christus verloste godsvolk.[1]

De religieuze voorstelling in het Nederlandse interieur

De opkomst van de Reformatie en het bijbels humanisme leidde tot een nieuwe kijk op en interpretatie van de bijbel. Een weerspiegeling van deze ontwikkeling is te vinden in het Nederlandse interieur. In de middeleeuwen omgaf de burger zich graag met afbeeldingen van Christus, Maria en heiligen of met taferelen uit hun leven. Een voorstelling van de gekruisigde Christus moest de gelovigen helpen zich in te leven in diens lijden en smartelijk sterven; afbeeldingen van heiligen maakten het gebed intenser en gaven de gelovige het idee, dat hij zijn smeekbeden rechtstreeks tot de aangeroepen heilige richtte. Men bediende zich hiertoe zowel van beeldjes in hout, pijpaarde of ivoor, als van schilderijen en vanaf de 15de eeuw ook van prenten. De laatste waren betrekkelijk goedkoop en daarom ook aan te treffen in huizen van minder welgestelden.

42 Miniatuur met de heilige Gertrudis in haar kamer (Nationale Bibliotheek, Wenen)

Om te weten te komen hoe deze zaken in het interieur functioneerden zijn we vooral aangewezen op miniaturen, schilderijen en prenten, die het middeleeuwse binnenhuis min of meer natuurgetrouw in beeld brengen. Deze zijn echter zeer zeldzaam en bovendien zijn het geen echte interieurstukken maar vormden zij doorgaans het decor, waartegen een heilige, bijbelse of historische geschiedenis is gesitueerd. Om het werkelijkheidsgehalte van zijn voorstelling te verhogen gaf de kunstenaar aan zijn 'decor' een realistisch tintje door het te stofferen met aan de werkelijkheid ontleende interieurstukken. Een fraai voorbeeld hiervan is de miniatuur uit omstreeks 1520 waarop de heilige Gertrudis in haar kamer zit (afb. 42).[2] Links achter staat haar hemelbed waarin tegen de achterzijde een ronde, goudkleurige afbeelding van het Christuskind hangt. Rechts achter staat een kastje, een zogenaamd tresoor, waarboven een drieluikje met de voorstelling van de kruisiging. Beide objecten zijn typerend voor het laat-middeleeuwse interieur.

Op een annunciatie van Joos van Cleve (afb. 43) uit het begin van de 16de eeuw[3] zien we dat boven het bed van Maria een ronde spiegel hangt, symbool van haar maagdelijkheid. Naast het bed is een prent met de afbeelding van Mozes met de wetstafelen aan de wand gespeld en boven het tresoor hangt een drieluikje. Een van de luiken staat open, waardoor de figuur van Abraham zichtbaar wordt, de stamvader van het volk van Israël. Achter het deurtje moet volgens het onderschrift Melchisedek schuilgaan, de priester-koning uit het Oude Testament, als zodanig een voorafbeelding van Christus. Hij offert brood en wijn aan Abraham, wat verwijst naar het sacrament van de eucharistie, dat door Christus is ingesteld bij het laatste avondmaal. De figuren op de kaarsenluchter stellen waarschijnlijk profeten voor. In het raam zijn twee ronde, gebrandschilderde glaasjes aangebracht met onduidelijke voorstellingen. Al deze details hebben zoals gezegd een symbolische betekenis, maar tegelijkertijd zijn ze ook realistisch, want juist in deze tijd beginnen wij in de interieurs naast heiligen en taferelen uit het leven van Christus ook zelfstandige voorstellingen uit het Oude

44 Perspectiefkast van P.J. Elinga (Museum Bredius, Den Haag)

43 De aankondiging van Christus' geboorte door Joos van Cleve (Metropolitan Museum of Art, New York)

45 Interieur met bijbelse voorstellingen (Sotheby's, Amsterdam)

Testament aan te treffen. Zo kennen we uit het einde van de 15de en het begin van de 16de eeuw een flink aantal gebrandschilderde ruitjes en schilderijen met oudtestamentische scènes (afb. 40, 41). Ook zijn er drieluikjes bewaard met voorstellingen uit het Oude Testament. Daarnaast kwamen, zoals we boven hebben gezien, uitbeeldingen van gelijkenissen en geschiedenissen uit het leven van Christus veel voor. Soms laten deze taferelen zien hoe sinds het midden van de 16de eeuw bijbelse voorstellingen in het interieur waren verwerkt. Op een schilderij uit de zuidelijke Nederlanden (afb. 45)[4] ziet men een rijk gestoffeerde kamer met een hoge lambrizering. Boven het buffet hangt een paneel met Mozes en de wetstafelen. Op de achterwand hangen twee schilderijen, één ervan is niet te identificeren, de ander heeft als onderwerp Lot en zijn dochters met op de achtergrond het brandende Sodom.

Heel verhelderend is in dit opzicht ook een aantal prenten die uit omstreeks 1600 dateren en die een familie dankzeggend aan tafel voorstellen.[5] Dergelijke voorstellingen zijn een verbeelding van Psalm 128, waarin gezegd wordt dat zalig hij is, die God vreest en wandelt in rechtvaardigheid. Hij zal de arbeid van zijn handen eten, zijn vrouw zal zijn als een vruchtbare wijnstok en zijn kinderen als olijfplanten rond de tafel. De meest realistische van deze prenten is wel die van C.I. Visscher uit 1609 (afb. 47). Allereerst is op de drie ronde glasruitjes de geschiedenis van Tobias uitgebeeld: Tobias en de vis, de verloving van Tobias en Sara, en Tobias geneest zijn vader. De echtvereniging van Tobias en Sara stond model voor een godsvruchtig huwelijk terwijl Tobias' houding tegenover zijn ouders eveneens voorbeeldig was. Op het schilderij boven de deur naar de keuken zien we de doop van Christus in de Jordaan, op de triptiek boven de schouw in het midden de aanbidding der koningen geflankeerd door Christus aan het kruis en de zondeval van Adam en Eva. Boven de deur naar de tuin is nog net het laatste avondmaal zichtbaar. Het drieluik verwijst naar de openbaring van de mensgeworden Zoon van God, wiens kruisdood noodzakelijk was om de schuld van de zondeval van Adam uit te wissen. De doop van Christus en het laatste avondmaal verwijzen naar de twee sacramenten, die door de gereformeerden erkend werden, namelijk doop en avondmaal.

Omstreeks 1600 moeten in de Nederlanden de woonkamers van geletterden en welvarende burgers op deze wijze met schilderijen gestoffeerd zijn geweest. Naast bijbelse taferelen zullen er ook echter mythologische geschiedenissen hebben gehangen. Beide 'historiën' hadden een moraliserende betekenis, terwijl een bijbels onderwerp bovendien een bevestiging inhield voor de juiste christelijke gezindheid van de heer des huizes. Deze kon zich zo een waarachtig lid van het nieuwe uitverkoren volk achten, d.w.z. van het volk dat door Christus verlost was.

Van de wijze waarop later, in de 17de eeuw, bijbelse afbeeldingen in het interieur waren verwerkt, geven genrestukken van Jan Vermeer, Pieter de Hoogh, Jan Steen en anderen vaak een goed beeld. Men moet hierbij wel voor ogen blijven houden, dat ook deze schilderijen geen afbeeldingen van bestaande interieurs zijn. Nog meer inzichtelijk voor ons onderwerp is een zogenaamde perspectiefkast van Pieter Janssens Elinga uit ca. 1660-1680. Het stuk, dat zich in het Museum Bredius te Den Haag bevindt, suggereert een realistische weergave van een eigentijds interieur. In deze bedriegelijk echte kamer zien we prenten en schilderijen aan de wand hangen. Twee ervan zijn bijbelse taferelen, links een afbeelding van Job op de mesthoop en rechts Christus met de Samaritaanse vrouw aan de put (afb. 44).

Het 'bijbelse' huisraad

Wat op de boven behandelde interieurs niet te zien is, is dat het afbeelden van bijbelse voorstellingen zich niet beperkte tot schilderijen, prenten en glasruitjes. Ook het huisraad en het meubilair waren vaak versierd met toepasselijke bijbelse taferelen. Zo kennen we een tafelblad uit het begin van de 16de eeuw in de Abdij van Berne te Heeswijk-Dinther dat beschilderd is met allerlei tafelscènes uit zowel het Oude en Nieuwe Testament. Dergelijke tafels zijn er wellicht meer geweest, maar er zijn in onze streken heel weinig meubels uit de 16de eeuw en vroeger bewaard gebleven.

Uit de 16de eeuw stammen ook de zogenoemde haardstenen, die we nog relatief in grote getale vinden. Deze met reliëfs versierde, vuurvaste bakstenen bevonden zich in het midden van de wand van de open haard, die niet alleen voor verwarming diende maar vooral ook als kookplaats. Op deze werkplek voor de huisvrouw waren allerlei bijbelse geschiedenissen afgebeeld. Daaronder bevonden zich voorstellingen van voorbeeldige vrouwen, bijvoorbeeld van Judith en Ester. Opvallend geliefd moet de geschiedenis van Suzanna zijn geweest. Ook de zogenoemde Suzanna kruiken die uit dezelfde tijd dateren getuigen van deze populariteit. De kuise Suzanna moest kennelijk de vrouwen manen tot het leiden van een voorbeeldig leven.

De historie van Suzanna blijkt ook nog tot het midden van de 17de eeuw zeer geschikt als decoratie op gebeeldhouwde kasten, waarin de huisvrouw haar linnengoed bewaarde (afb. 46). De geschiedenis van Jozef vormde voor deze kasten eveneens een toepasselijke versiering. De voorstelling van Jozef, vluchtend voor de vrouw van Potifar, vormde immers ook een waarschuwing tegen onkuisheid en riep op tot het bewaren van een rein huwelijk. Daarom werd dezelfde vluchtende Jozef

46 Beeldenkast met op de panelen de geschiedenis van Suzanna (cat. nr. 43)

47 Biddende familie aan tafel (Psalm 128) door Claes Jansz. Visscher (cat. nr. 12)

afgebeeld op een zilveren knottekistje uit het midden van de 17de eeuw (afb. 48), een voorwerp dat een vrijer schonk aan zijn uitverkorene. Zo'n trouwkoffertje was bij uitstek geschikt om toepasselijke bijbelse taferelen op te graveren. Behalve Jozef zijn dan ook de kuise Suzanna maar ook de bruiloft te Kana en een voorstelling van David en Batseba te zien. De bedoelingen van deze voorstellingen werden nog eens extra toegelicht in de opschriften: 'Joseph is hier de Jeucht, Een spiegel tot de deucht', 'Susanae's Kuysheit stralen geeft, Soo wert een Reyne echt beleeft', 'Geluckich moet de bruyloft sijn, daar Christus maeckt van water wijn' en 'Als 't oogh het hert verleyt, wort dick te laet beschreyt'.

Overigens is het typerend dat men vaak bij voorkeur niet een voorbeeld van deugd in beeld bracht, maar juist van het tegenovergestelde, van wat men als christen juist geacht werd niet te doen. Zoals door alle eeuwen heen gaf de afbeelding van het slechte en verkeerde kennelijk

48 Knottekistje met o.a. Jozef vluchtend voor de vrouw van Potifar (cat. nr. 34)

meer opwinding en vermaak, dan de uitbeelding van het brave en deugdzame. Er zit dus een zekere ambivalentie in het waarschuwen tegen onkuisheid door middel van het afbeelden van een naakte Suzanna, Batseba of de dochters van Lot. Dat werd in die tijd ook wel zo gevoeld want Cats dichtte in het derde deel van zijn *Christelijck Huyswyf*: 'Een Loth of Davids Val ten nausten af te maelen/ doet ick en weet niet hoe, de losse sinnen dwaelen / Een stier, een valsche swaen, die jonge maegden schent / heeft dickmael aan de jeught de lusten ingeprent'.[6] Cats zal hierbij de soms wellustig geschilderde naakten waartoe deze voorstellingen aanleiding gaven, op het oog gehad hebben en niet de brave graveringen op het boven beschreven knottekistje.

Hoe dat ook zij, het verband tussen de moraliserende betekenis en het voorwerp is bij zo'n kistje duidelijk aanwezig. Datzelfde kan gezegd worden van de voorstelling van een biddende Tobias en Sara voor het echtelijke bed op een huwelijksmes (afb. 49). Minder belerend bedoeld, maar wel toepasselijk is een voorstelling van de geschiedenis van Lot op een zoutvat uit omstreeks 1600 (afb. 50): de vrouw van Lot veranderde immers toen zij omkeek naar het brandende Sodom in een zoutpilaar. Naast het bijbelverhaal zijn op dit zoutvat mythologische voorstellingen te zien, typerend voor een humanistisch milieu. Minder duidelijk voor de twintigste-eeuwse beschouwer lijkt het verband aanwezig tussen een schoenlepel of laarzenknecht met de daarop gegraveerde voorstelling van de geschiedenis van de verloren zoon. Dat deze gelijkenis populair was, getuigt onder andere ook een fraai Haarlems tegeltableau. Op sieraardewerk konden allerlei bijbelse voorstellingen een plaats vinden. Een Delftse schotel uit omstreeks 1650 (afb. 53) toont bijvoorbeeld het motief van Hagar in de woestijn, een thema dat ook in de schilderkunst rond Rembrandt zeer geliefd was.

Al deze taferelen waren meestal geen oorspronkelijke inventies van de beeldsnijders, zilversmeden of plateelschilders. Zij grepen heel vaak terug op bestaande prenten. Menig op huisraad afgebeelde scène is terug te vinden op losse prenten, dan wel in een van de vele prentbijbels, die in die tijd het licht zagen.[7]

Het bijbels humanisme en de volkskunst

De hierboven genoemde kostbare gebeeldhouwde kasten, het fraaie zilver en ook de geweven veelkleurige tapisserieën, de damasten tafellakens en het sieraardewerk waren vanzelfsprekend alleen te vinden bij de welgestelden. Juist in dit welvarende en geletterde milieu bloeide het bijbels humanisme en de onderwerpskeuze voor de decoratie van het huisraad geeft hiervan een goede getuigenis. Omdat er minder gebruiks-

49 Mes met de biddende Tobias en Sara voor hun huwelijksbed (cat. nr. 33)

50 Zoutvat met de geschiedenis van Lot: Lot vlucht uit het brandende Sodom (cat. nr. 29)

52 Klapstoeltje met Christus en de Samaritaanse vrouw (cat. nr. 42)

51 Doosje met de broedermoord, daarboven de ark van Noach (cat. nr. 47)

55 Schoenlepel met taferelen uit de geschiedenis van de verloren zoon (cat. nr. 24)

53 Delftse schotel met de vertroosting van Hagar in de woestijn (cat. nr. 53)

54 Borstelrug met de redding van Mozes (cat. nr. 35)

56 Tapisserie met de bruiloft te Kana (cat. nr. 36)

57 Rombout van Troyen, De doop van de kamerling (cat. nr. 2)

voorwerpen bewaard zijn gebleven van de wat lagere sociale lagen van de burgerij, is het moeilijker zicht te krijgen op de populariteit van de bijbelverhalen daar. Op eenvoudiger schilderijtjes, zoals onder andere een schilder als Rombout van Troyen die vervaardigde (afb. 57), zijn dezelfde onderwerpen te zien als op die in de kring van Rembrandt werden geschilderd. Eenvoudiger aardewerk uit het midden van de 17de eeuw toont eveneens de populaire geschiedenissen met onder andere de vluchtende Jozef, de geschiedenis van Juda en Tamar en Christus en de Samaritaanse vrouw.

Uit de tijd na 1650 is veel meer materiaal bewaard dat laat zien dat in de zogenaamde middenklasse bijbelse verhalen in zwang bleven ter decoratie van meubelen en gebruiksvoorwerpen. In de betere kringen lijkt echter de belangstelling voor bijbelse taferelen af te nemen. De gegoede koopman en de regent geven na het midden van de eeuw steeds meer de voorkeur aan kasten van kostbare materialen zoals mahonie en ebbenhout boven eiken meubilair. Deze ontwikkeling is ook in de schilderkunst te zien. De meeste bijbelse schilderijen van Rembrandt en zijn school zijn namelijk voor omstreeks 1650 geschilderd. Daarna komen ze ook nog voor maar niet meer in zulke overweldigende aantallen. Aan de wand hangen de rijke burgers dan liever een genrestukje, geschilderd door de zogenaamde fijnschilders. Men kijkt vaak naar wat er in het buitenland gebeurt, met name naar Frankrijk, waar mythologische motieven zeker zo geliefd zijn als bijbelse thema's. Dit blijft ook zo in 18de eeuw. Hiermee in overeenstemming zijn de voorlopige resultaten van archiefonderzoek naar boedelinventarissen uit de 17de en 18de eeuw. Zo blijkt uit inventarissen in Delft dat er tussen 1620 en 1670 een relatieve achteruitgang is van het aantal bijbelse en religieuze schilderijen ten opzichte van bijvoorbeeld landschappen. Daarnaast laten vergelijkingen van Amsterdamse boedelinventarissen uit het begin van de 17de eeuw met die uit het begin van de 18de eeuw zien, dat bij die uit kort na 1600 de voorstellingen op de beschreven schilderijen worden genoemd, maar dat dit op die uit de 18de eeuw niet of veel minder het geval is. Daarentegen wordt in de 18de-eeuwse beschrijvingen soms wel de schilder vermeld. Men schijnt er dan minder belang in te stellen *wat* er is voorgesteld dan *hoe* en door wie het is uitgebeeld.[8]

Verdwijnen na 1650 bijbelse voorstellingen op huisraad en meubilair van de zeer rijken, tegelijkertijd vinden we ze juist wel op beschilderde meubels, die in Holland en Friesland in grote hoeveelheid bewaard zijn gebleven en afkomstig zijn uit een minder voornaam milieu. Dat meubilair is doorgaans gemaakt van goedkopere houtsoorten en de kwaliteit van de schilderingen is veel minder dan die van het knappe houtsnijwerk op de eiken kasten uit de eerste helft van de 17de eeuw. Hooguit een enkele keer is de schildering niet onverdienstelijk. Overigens waagden de meubeldecorateurs, die geen lid

58 De koningin van Scheba bezoekt koning Salomo (cat. nr. 103)

waren van het Lucasgilde, zich soms aan het maken van echte schilderijen. Er is namelijk een aantal paneelschilderijtjes bewaard, waarbij de verf direct op het hout is aangebracht en niet op een van te voren met een grondlaag geprepareerd paneel, zoals gildevoorschrift was. De uitbeelding van de taferelen op deze paneeltjes is doorgaans spontaan en ongekunsteld en sluit aan bij de stijl van de beste meubelen. Waarschijnlijk hebben deze 'amateur' schilderijtjes de wanden gesierd van hen, die een echt schilderij niet konden of wilden betalen (afb. 58).

Evenals de beeldsnijders uit de 17de eeuw, baseerden deze decorateurs zich op prenten en prentbijbels, die teruggingen tot de tijd van het bijbels humanisme.[9] Motieven die toen populair werden, komen we dan ook nog eeuwenlang tegen op produkten uit de volkskunst.

Op een vroeg exemplaar van een beschilderde zogenoemde Assendelfter kast, gedateerd 1676, is bijvoorbeeld de zo geliefde geschiedenis van Jozef afgebeeld (afb. 73). Bezien we echter de schilderingen dan blijkt echter de voorstelling Jozef vluchtend voor de vrouw van Potifar niet voor te komen. Terwijl de geschiedenis van Jozef als passend werd ervaren voor een kast, was kennelijk de diepere bedoeling (de kuise, voorbeeldige Jozef) al verloren gegaan. Op broeksknopen van mannenkostuums in de klederdrachten echter, waar nog tot in onze eeuw de afbeelding van de vluchtende Jozef te vinden was, lijkt nog iets aanwezig van de 16de-

59 Broekstukken met Jozef vlucht voor de vrouw van Potifar (cat. nr. 136)

60 Hindelooper mangelbak met Tobias en de engel (cat. nr. 159)

61 Prikslede met een voorstelling uit de Makkabeeën: de verdrijving van Heliodorus, de tempelrover (cat. nr. 161)

eeuwse moraliserende betekenis (afb. 59).

Blijft de geschiedenis van Jozef zeer geliefd, zijn vrouwelijke tegenhanger, de eens zo populaire Suzanna wordt weinig meer afgebeeld op de beschilderde kasten. Een verklaring zou kunnen zijn dat het verhaal van Suzanna uit de apocriefe boeken stamt, die in de loop van de 17de en 18de eeuw steeds minder bekend werden. Toch is enige voorzichtigheid geboden daar bijvoorbeeld de apocriefe figuur van Tobias nog steeds in Hindeloopen wordt afgebeeld op bijvoorbeeld een kistje en een mangelbakje (afb. 60). Ook de vrij onbekende voorstelling van de verdrijving van Heliodorus op de Hindelooper prikslede stamt uit het apocriefe bijbelboek der Makkabeeën (afb. 61). Wellicht hebben Cats' waarschuwingen effect gehad.

Suzanna's eerste plaats als voorbeeldige vrouw lijkt te worden ingenomen door de figuur van koningin Ester die op vele Hindelooper en Zaanse kasten en kistjes wordt afgebeeld. Zo zijn vier taferelen uit het leven van Ester

62 Mastschild van een veerboot met voorstelling de doop van de kamerling (cat. nr. 5)

afgebeeld op de Assendelfter kast uit Het Catharijneconvent (afb. 75). Te zamen met andere geliefde vrouwen, de dochter van Jefta, de knielende koningin van Scheba en de figuur van Judith, siert zij een Hindelooper schrijnkastje, vermoedelijk een geschenk van een man aan een vrouw (afb. 70).[10] Terwijl het verband tussen voorwerp en decoratie op deze voorwerpen nog enigszins aanwezig is, wordt de figuur van Ester op een prikslede tot louter decoratie. De decorateur heeft namelijk de geliefde voorstelling van een knielende vrouw voor een troon afgebeeld en voorzien van het veelzeggende maar onmogelijke bijschrift 'Ester besoekt Salomon' (afb. 63).

Naast deze oudtestamentische helden en heldinnen, werden ook voorstellingen uit het Nieuwe Testament nog veel uitgebeeld. Het thema van de verloren zoon was met name geliefd in de Zaanstreek en werd bijvoorbeeld geschilderd op een haardscherm (afb. 72). De voorstelling Christus en de Samaritaanse vrouw komen we veelvuldig tegen in Hindeloopen, bijvoorbeeld op een zogenoemde flap-aan-de wand.

We noemen hier slechts enkele voorbeelden van de vele bijbelse voorstellingen die terecht kwamen op allerlei voorwerpen zoals tafels, wiegen, priksledes maar ook op boerenwagens en scheepsversierselen. Op de populaire bijbeltegeltjes konden een veelheid aan bijbelse voorstellingen een plaats vinden. Zo vonden voorstellingen uit het bijbels humanisme hun weg naar het milieu van schippers, vissers en boeren. Zo kon het gebeuren dat we de voorstelling van de doop van de kamerling, eens geschilderd door Rembrandt, nog terugvinden op tegeltjes, op tabaksdozen en op het mastschild van een veerboot tussen Rotterdam, Den Haag en Leiden (afb. 62).

Samenvatting

De opkomst van niet-devotionele bijbelse voorstellingen in het interieur hangt samen met het bijbels humanisme, een geestelijke stroming, die de christelijke traditie met de cultuur van de oudheid poogde te verzoenen en die haar opmars begon gelijktijdig met de Reformatie. Dit bijbels humanisme was aanvankelijk vooral te vinden in

63 'Ester besoekt Salomon', bijschrift bij een voorstelling op een Hindelooper prikslede

meer geletterde kringen en had met name zijn weerslag op de interieurs van de stedelijke sociale bovenlaag. Hoewel het bijbels humanisme zich vooral thuis voelde in protestantse kringen zal het ook in ons land de katholieke milieus beïnvloed hebben. Daar zullen echter afbeeldingen met typisch katholieke thema's wel de overhand hebben gehad. Na het midden van de 17de eeuw blijkt de invloed van de bijbel op de decoratie van de interieurs en de gebruiksvoorwerpen van de hogere burgerij relatief af te nemen. Bij de middengroepen en de stand van handwerkers en boeren blijft de bijbelse voorstellingswereld daarentegen bijzonder populair en zou dat blijven tot aan het begin van de 19de eeuw. Dan wordt de rijke bijbelse verbeeldingswereld steeds meer verdrongen door tekstborden. Deze gaan dan zozeer het typisch reformatorische interieur bepalen, dat velen tot in onze dagen denken dat de Reformatie geen beeldende traditie kent. De bestudering van het verleden leert echter wel anders.

H.L.M. Defoer

1. Defoer 1977; Schillemans 1989.
2. Miniatuur in de Hortulus Animae, Wenen, Nationale Bibliotheek, cod. 2706, Brugge, atelier Simon Bening, tussen 1510 en 1525.
3. New York, Metropolitan Museum of Art. Max Friedländer, *Early Netherlandish Painting* IX, Leiden 1972, nr.25.
4. Geveild november 1990 bij Sotheby's, Amsterdam.
5. Franits 1986; Thiel 1987; Bedaux 1987.
6. Jacob Cats, *Houwelick: dat is de gansche gelegentheyt des echten staets, vyfde deel, Moeder*, Middelburg 1625, 1e dr.; daarna nog vele malen herdrukt. De stier en de zwaan verwijzen naar Jupiter die in de gedaante van een stier Europa schaakte en als zwaan Leda verleidde.
7. Zie ook het artikel van W.C.M. Wüstefeld.
8. De voorlopige resultaten werden gepresenteerd op een symposion over boedelinventarissen dat op 23 maart 1991 in Amsterdam werd gehouden.
9. Zie ook het artikel van J. Jas.
10. Boiten 1983, p. 28.

64 Hindelooper wieg met op het hoofdeinde Rebekka geeft de knecht van Abraham te drinken en op de rechterzijkant de koningin van Scheba bezoekt koning Salomo (cat. nr. 120)

Bijbelse geschiedenissen op beschilderde meubelen uit de 17de en 18de eeuw

'In hunne Wooningen dingt de Nederigheid en Zindelijkheid om stryd naar den prys. De wanden zijn, in stede van met keurige Tapyten, met verglaasde steentjes opgehaald; men ziet 'er zuivere witte kalkmuuren; of, gelyk zy meest Houten Huizen bewoonen, nette Houten beschilderde beschotten' ... 'Voorts zyn de Binnekamers meest overal met houten Beschotten, Kasten, Schapraaien, Spinten, Kasjes en Bontjes, zoo zy 't noemen, betimmerd. By de Landlieden vind men veeltyds alles met eene vlammende bruine, nootboomachtige verwe beschilderd; en hier en daar pronken de Deuren der Kassen met Bybelsche Geschiedenissen...', zo constateerde de Leidse arts Le Francq van Berkhey, toen hij rond het midden van de 18de eeuw door de Zaanstreek en Waterland reisde.[1] Vooral kasten met twee of meer deuren boden ruimte voor bijbelse geschiedenissen. De verschillende episoden van het bijbelverhaal konden op de panelen uitgebeeld worden. In de 17de eeuw gebeurde dat vooral op de fraaie gesneden beeldenkasten, in de tweede helft van de 17de en de gehele 18de eeuw bracht men die voorstellingen door middel van beschildering op meubels aan.

Voor met snijwerk versierd huisraad was de samenwerking noodzakelijk tussen timmerlieden, die de kast vervaardigden, en beeldsnijders, die het snijwerk verrichtten. De zinnebeeldige figuren op de stijlen werden vaak aangevuld met bijbelse voorstellingen op de kastdeuren (afb. 46). In de tweede helft van de 17de eeuw werd het minder gebruikelijk meubilair met snijwerk te versieren. Het beschilderen van meubilair, dat al in de middeleeuwen in gebruik was, kende vanaf 1650 een grote bloeiperiode, die tot aan het eind van de 18de eeuw voortduurde. Ook bij het vervaardigen van beschilderd huisraad waren verschillende ambachtslieden betrokken. Zogenoemde witwerkers, timmer-lieden die meubilair en gebruiksvoorwerpen vervaardigden uit zacht, ongeverfd hout, lieten hun meubilair beschilderen door schilders, die meestal 'grofschilders' of 'kladschilders' genoemd werden. Een voorbeeld van de samenwerking tussen twee vaklieden vormt het contract dat in 1698 gesloten werd tussen de Amsterdamse witwerker Abraham Willemsz. en de schilder Jan de Vries. Voor het beschilderen van een kabinet ontving De Vries *f* 3,50. Kleinere meubels brachten tussen *f* 0,50 en *f* 1,00 op.[2]

Soms werden ook fijnschilders uit geldnood gedwongen tot het beschilderen van huisraad. Over de schilder Theodorus van der Pee werd in 1750 geschreven: 'Hy schilderde Historien, Zolderstukken, Portretten en moderne Kabinetstukjes, maar ziende dat het op dien voet niet te breed ging, zette hy een Schilderywinkel op met allerlei zoort van Schilderwerk'. Daar verkocht Van der Pee behalve zijn schilderijen ook beschilderd huisraad.[3]

Opvallend is dat er ook meubelen van eikehout beschilderd zijn. Tot nu toe is onduidelijk in hoeverre andere timmerlieden dan witwerkers meubels maakten die beschilderd werden. Verder onderzoek zou meer licht kunnen werpen op de vraag welke ambachtslieden betrokken waren bij het vervaardigen van beschilderd meubilair en hoe de samenwerking tussen hen verliep.

Lange tijd zijn beschilderde meubelen aangeduid als plattelandsmeubelen. Het was niet bekend dat beschilderd meubilair in Amsterdam vervaardigd werd door gedegen ambachtslieden en dat deze meubelen bij gegoede burgers een plaats hadden in voorname interieurs. Dat beschilderde meubelen betiteld zijn als boerenmeubelen komt doordat vooral in plaatsen op het platteland grote aantallen voorbeelden van 17de en 18de-eeuwse meubelschilderkunst bewaard zijn gebleven.

Stad en platteland

Het beschilderen van meubilair vormde een alternatief voor de dure versieringstechnieken die met name in Amsterdam in zwang waren. In Amsterdam heerste in de 18de eeuw de mode van meubelen versierd met oosters lakwerk of inlegwerk van verschillende houtsoorten of kostbare materialen als parelmoer en ivoor. Alleen zeer welgestelden konden zich dergelijke meubelen veroorloven. In de rijke plattelandsstreken aan de Zaan, in Hindeloopen en ook op Marken en Ameland waren de beschilderde meubelen populair.

De economie van de Zaanstreek bloeide op door de vele houtzaagmolens, de handelsvaart, de scheepstimmerwerven en de walvisvaart. Rond 1700 konden de Zaankanters zich 'huysen als Paleisen, en Wooningen als Heeren Hoven' veroorloven.[4] Nog meer dan in de Zaanstreek heeft in Hindeloopen de scheepvaart rijkdom gebracht. Hindelooper schippers voeren voor Amsterdamse reders en hun schepen werden gebouwd in de Zaanstreek.[5] Zo zorgden handel en nijverheid voor belangrijke contacten tussen de Zaanstreek, Hindeloopen en Amsterdam, plaatsen waarvan het zeker is dat er beschilderd meubilair is vervaardigd.

De benamingen van de kasten – we spreken over Assendelfter, Jisper, Marker en Amelander kasten – zorgen nog al eens voor verwarring, omdat men denkt dat deze kasten in de desbetreffende plaatsen zijn vervaardigd. De benamingen zijn echter ontstaan in de 19de eeuw. Verschillende families uit de Zaanstreek stelden in 1874 beschilderd huisraad ter beschikking voor een tentoonstelling van 'oudheden en merkwaardigheden' in Zaandam.[6] Sinds die tentoonstelling zijn namen als Assendelfter en Jisper in gebruik geraakt om bepaalde type kasten aan te duiden. Zo wordt een kast met een open middenstuk afgezet met een getande booglijst aangeduid als Assendelfter kast (afb. 75), omdat op de genoemde tentoonstelling een dergelijke kast afkomstig was van een Assendelfter familie. De

65 Amelander tafelblad met het bezoek van de koningin van Scheba aan koning Salomo (cat. nr. 104)

namen Assendelfter en Jisper geven dus niet de plaats aan waar de meubels vervaardigd zijn. Dit geldt ook voor de beschilderde kwartronde hoekkastjes en tafelbladen die meestal Amelander genoemd worden.

Over het algemeen waren de Zaankanters en de inwoners van Hindeloopen in de 18de eeuw welgesteld. Een ander punt van overeenkomst tussen de Zaanstreek en Hindeloopen vormde het grote percentage doopsgezinden onder de bevolking. Ook op Ameland was een aanzienlijk deel van de bevolking doopsgezind.

Zowel aan de Zaan als in Hindeloopen behoorden de doopsgezinden tot de meest welgestelden onder de bevolking.[7] Uit de voortdurende waarschuwingen tegen luxe en overdaad blijkt dat pronkzucht de doopsgezinden niet vreemd was. In 1647 werd vastgelegd dat 'een leeraar (voorganger) met leer en leven behoort dienstig te zijn om af te leeren de groote pracht in kleederen, bruiloften, maaltijden, versieringen der huizen...'[8] In de tweede helft van de 17de eeuw tilde men minder zwaar aan het tonen van rijkdom. In de kleding was 'geen ding te kostelijk'[9] en waarschijnlijk gold dit ook voor de interieurs van vele doopsgezinden. De vraag waarom beschilderde meubels juist in doopsgezinde milieus voorkomen is echter nog niet te beantwoorden.

Prenten als voorbeeld

De decorateurs kopiëerden voorstellingen uit diverse prentbijbels op hun kisten, kasten en wiegen. Dat kopiëren was heel gewoon. In de 17de eeuw was het naschilderen van meesterwerken de gebruikelijke methode om leerling-kunstenaars het vak te leren. Ook de meest beroemde 17de-eeuwse kunstschilders gebruikten motieven uit andermans werk. De bekende schilder en schrijver Carel van Mander spoorde in het begin van de 17de eeuw zijn leerlingen aan, voorbeelden te ontlenen aan grote meesters. Originaliteit was een begrip dat pas laat in de 17de eeuw in de kunstkritiek doordrong; Samuel van Hoogstraeten waarschuwde in een hoofdstuk over 'Hoe men zich van eens anders werk dienen zal', dat de kunstenaar voorzichtig moest zijn bij het ontlenen.[10] Ook schrijvers konden op dezelfde wijze hun voordeel doen met bestaande werken. In zijn *Aanleidinge der Nederduitse Dichtkunst* schreef Vondel: 'so ziet men den besten meesteren de kunst af, en leert, behendig stelende, een ander het zijne te laten.'[11]

In deze traditie zochten de ambachtslieden die bijbelse geschiedenissen afbeeldden op huisraad, naar voorbeelden. Voor hen vormden prenten en vooral prentbijbels de meest toegankelijke bron, en meestal werden de prenten die als voorbeeld dienden zo letterlijk mogelijk nagevolgd. Zo maakten de 17de-eeuwse beeldsnijders voor hun beeldenkasten gebruik van prenten.

Ook op het 18de-eeuwse beschilderde meubilair is heel duidelijk de invloed te zien van prenten en prentbijbels.

Op een Amelander tafelblad is bijvoorbeeld de opdracht in de tempel geschilderd. De voorstelling is ontleend aan een prent die Paulus Pontius naar een schilderij van Rubens maakte (cat. 66 en 76).[12] De gravure geeft in spiegelbeeld het rechterzijluik weer van het altaar met de kruisafneming in de kathedraal van Antwerpen. Zo konden composities van grote meesters terecht komen op beschilderd meubilair.

De Hindelooper kapwieg (afb. 66) is geschilderd naar prenten uit de grote prentbijbel van Mortier (cat. 89), die ook in een uitgave van Flavius Josephus voorkomen (cat. 99). De prenten die Hoet, Houbraken en Picart vervaardigden voor een prentbijbel (cat. nrs. 93 en 94), werden ook vaak nagevolgd. Uit zo'n prentbijbel kwam een prent van Houbraken met de verkondiging aan de herders die als voorbeeld diende voor het beschilderen van hoekkastjes (afb. 68).[13]

Het meest nagevolgd werden echter de prenten van Pieter Hendricksz. Schut. Zowel de kleine als de grote prenten van Schut[14] zijn veelvuldig gebruikt als voorbeelden, niet alleen voor het versieren van zilveren en koperen tabaksdozen, tegels, hakkeborden, haardplaten

66 Hindelooper kapwieg met aan de voorzijde de ontmoeting van David en Abigaïl (cat. nr. 78)

67 Achterkrat van een boerenwagen met het offer van Abraham (cat. nr. 129)

68 Amelander hoekkastje met de verkondiging aan de herders (cat. nr. 77)

69 Hindelooper schrijflessenaar met op de voorzijde Mozes in het biezen kistje en de vijf dwaze en vijf wijze meisjes (cat. nr. 121)

etc., maar vooral op beschilderd meubilair.[15] De voorstellingen van de geschiedenis van Ester op het poppewiegje (afb. 85), het kistje (cat. 108) en de Assendelfter kast (afb. 75) zijn alle ontleend aan de kleine prenten van Schut. De onderste twee panelen van de kast illustreren dat schilders soms moeite hadden de prentjes die een liggend formaat hebben in te passen op panelen met een staand formaat. In dit geval is de onderste rand van de panelen opgevuld met een decoratief motief. Een ander interessant detail aan de kast met de geschiedenis van Ester vormen de bovenste twee panelen. De voorstellingen geven de prentvoorbeelden van Schut in spiegelbeeld weer. Dit roept vragen op omtrent de wijze waarop de prentvoorbeelden nageschilderd werden op huisraad. Een uit ca. 1880 daterend schilderij door Christoffel Bisschop met de titel Hindelooper schildersjongen suggereert dat een boekillustratie uit de vrije hand nageschilderd wordt. Dat het kopiëren van prenten op deze wijze gebeurde is niet aannemelijk, maar hoe de navolging precies plaatsvond is niet bekend.

Voor de voorstellingen op tegels werd gebruik gemaakt van sjablonen; de lijnen van een tekening werden van gaatjes voorzien en door middel van het bestuiven van de doorgeprikte tekening met houtskool werd de voorstelling op de tegel overgebracht. Voor het beschilderen van meubilair kunnen de voorbeeldprenten niet op dezelfde wijze – overtrekken van de prent en daarna doorstuiven – gebruikt zijn. Het verschil in formaat tussen de prenten die als voorbeeld dienden en het te beschilderen meubel moest overbrugd worden. Hoe dit gebeurde is niet bekend. Pas als er een tekening op schaal bestond kon de techniek van het doorstuiven gebruikt worden. Daarbij kon de oorspronkelijke voorstelling eenvoudig in spiegelbeeld uitgevoerd worden.

Bijbelse voorstellingen: het Oude Testament

Al in de 16de eeuw raakte de moraliserende bijbeluitleg in gebruik welke in de 17de-eeuwse beeldende kunst naar voren komt.[16] In de oudtestamentische verhalen zagen de inwoners van de Lage Landen veel overeenkomsten met de eigen tijd. Een sprekend voorbeeld hiervan wordt gevormd door de regels uit het Wilhelmus, waarin Willem van Oranje vergeleken wordt met David: 'Als David moeste vluchten voor Saul den tiran, Zo heb ik moeten zuchten Met menig edelman...'

De allerduidelijkste vergelijking die men in de 17de eeuw kon maken tussen de bijbelse en de eigentijdse geschiedenis betrof de exodus van het joodse volk. De bevrijding van het volk Israël door Mozes, kon vrij letterlijk vertaald worden in de volksverhuizing van duizenden protestanten vanuit de zuidelijke Nederlanden naar het noorden. Dat men in de 18de eeuw dergelijke overeenkomsten niet altijd meer even goed begreep, blijkt uit de voorstelling van de doortocht door de Rode Zee op de zijkant van een beschilderd kistje. Om het verband met de vaderlandse geschiedenis aan te geven is de Hollandse driekleur in het tafereel weergegeven, maar daarbij werd een opmerkelijke vergissing gemaakt: de rood-wit-blauwe vlag wappert aan de zijde van het leger van de farao dat ondergaat in de golven (afb. 71).

Op huisraad uit de 17de en 18de eeuw komen voorstellingen van het vinden van Mozes in het biezen kistje overigens vaker voor dan die van de doortocht door de Rode Zee.[17] Een fraai voorbeeld vormt de voorstelling op de voorkant van een Hindelooper lessenaar (afb. 69).

Ook de geschiedenis van Jozef komt regelmatig op beschilderd huisraad voor, met name de episode rond de verkoop van Jozef door zijn broers. Vondel schreef twee treurspelen over Jozef en hij vertaalde het treurspel van Hugo de Groot over Jozef en de vrouw van Potifar. Vanaf 1653 werden deze toneelspelen vaak als trilogie opgevoerd en hoorden zij tot de bekendste toneelspelen in Amsterdam.[18] De verkoop van Jozef is ondermeer geschilderd op de Zaanse kast uit 1676 (afb. 73). De kast is wegens de datering bijzonder: het is de vroegst gedateerde beschilderde kast met bijbelse voorstellingen. Wellicht was het gedeelte van het bijbelverhaal over de verkoop van Jozef goed bekend, doordat het uitgebreid beschreven werd door Flavius Josephus in zijn *Hoochgeroemde Joodse Historiën.* Van dit veelgelezen boek verscheen in de 17de eeuw een groot aantal Nederlandse vertalingen.

Naast mannelijke helden bood het Oude Testament ook voorbeeldige vrouwen: met name de kuise Suzanna en Ester waren geliefd in de 16de en 17de eeuw. Over Ester verschenen in de 17de eeuw minstens drie toneelstukken, waarin net als in de toneelstukken over Jozef soms een uitdrukkelijke parallel gelegd werd met het dagelijks leven in die tijd.[19] Jacob Cats nam het bijbelboek Ester als uitgangspunt voor een lang gedicht dat moest dienen 'tot Verbeteringe van de Huys-gebreeken deser eeuwe.'[20] Dat de vergelijking van bijbelse geschiedenissen met het dagelijks leven nog verder kon gaan, blijkt uit een voorval uit 1626. In dat jaar werd Amalia van Solms, de vrouw van stadhouder Frederik Hendrik, tijdens de doopdienst van haar zoon door de dominee als volgt toegesproken: 'Het dunkt mij dat ik voor mij zie staan de grote koningin Esther... O. gelukkige prinses, O, tweede Esther...'[21] Misschien was deze vergelijking bedoeld om Amalia aan te prijzen als goede huisvrouw; in de 16de- en 17de-eeuwse literatuur over het ideale huwelijk en de rol van de vrouw wordt Ester vaak ten voorbeeld gesteld.[22]

Al in de 15de en 16de eeuw was Ester geliefd als een van de negen heldinnen. Samen met Judith en Jaël behoorde Ester tot de drie oudtestamentische heldinnen van deze reeks, die regelmatig onderwerp was voor

70 Hindelooper schrijnkastje met links Ester voor Ahasveros en rechts het bezoek van de koningin van Scheba aan Salomo (cat. nr. 101)

prentseries. Het is opvallend dat de heldhaftige Judith op 18de-eeuws beschilderd meubilair weinig voorkomt. De voorstelling van Judith op een schrijnkastje met vier vrouwengeschiedenissen (afb. 88) is daarom uitzonderlijk. Judith gaat op het kastje vergezeld van Ester, de dochter van Jefta en de koningin van Scheba. Suzanna en Jaël ontbreken op dit kastje.

Op beschilderd huisraad werd de geschiedenis van Ester vaak gecombineerd met die van de koningin van Scheba voor koning Salomo. Vooral op klein Hindelooper huisraad, zoals kistjes, komt deze combinatie voor. Een ander verhaal over Salomo, namelijk dat rond zijn wijze oordeel, werd in de 17de-eeuwse schilder-kunst populair en vormde vaak het onderwerp voor de schilderingen in raadshuizen en openbare gebouwen.[23] In de 18de eeuw komt de wijze Salomo ook voor op huisraad en andere voorwerpen, zoals onder meer het hakkebord laat zien (cat. 155).

Het Nieuwe Testament

Net als in de schilderkunst zijn de taferelen rond de geboorte van Jezus veelvuldig afgebeeld op meubilair. Daarnaast zijn de nieuwtestamentische gelijkenissen vaak te zien op beschilderd huisraad. De gelijkenis van de vijf wijze en de vijf dwaze maagden komt het meest voor. Deze gelijkenis leverde meestal een langgerekte voorstelling op van tien maagden op een rij, die goed paste op de voorzijde van beddebankjes (cat. 194), maar die ook voorkomt op de middenregel van een kast (afb. 75) en op een bijbellessenaar (afb. 69).

Van de gelijkenis van de verloren zoon zijn minder voorstellingen op huisraad bewaard gebleven. Uit met name 16de-eeuwse literatuur blijkt dat de verloren zoon toen een geliefde bijbelfiguur was. De verloren zoon komt veel voor in 16de-eeuwse toneelspelen[24] en prentenreeksen.[25] De geschiedenis van de verloren zoon is in de Zaanstreek lange tijd een populair onderwerp geweest voor beschilderd huisraad. Maar ook in Friesland is de gelijkenis geschilderd op huisraad, bijvoorbeeld op een beschilderde betimmering uit Workum.

Voorstelling en functie

Slechts zelden is een verband te leggen tussen de geschilderde bijbelse voorstellingen en de functie van het meubel. Het schrijnkastje beschilderd met vrouwengeschiedenissen wordt verondersteld te zijn vervaardigd ter gelegenheid van een huwelijk, aangezien de vier voorstellingen alle de ontmoeting tussen een man en een vrouw weergeven.[26] Van een beschilderde kast in de collectie van het Fries Museum is het zeker dat deze ter gelegenheid van een huwelijk vervaardigd is. Op de kast zijn de namen Arian Jansz. Croonenburg en Eefje Dirckx vermeld en het jaartal 1673; Zaanse archiefstukken brachten aan het licht dat de twee in dat jaar getrouwd zijn.[27]

Romantische ontmoetingen als die tussen David en Abigaïl, Jakob en Rachel, en Rebekka en de knecht van Abraham, zijn regelmatig afgebeeld op beschilderd huisraad. Daarbij valt op dat deze onderwerpen vaak op wiegen voorkomen. De Hindelooper wieg uit 1752 is het duidelijkste voorbeeld van een meubelstuk waarbij de functie invloed heeft gehad op de keuze van de voorstellingen: in twee van de vier voorstellingen spelen kinderen een rol, in de andere twee staat de ontmoeting tussen een man en vrouw centraal (afb. 64).

Een uytnemend exempel

Van Jacob Cats verscheen in 1620 een stuk dat hij baseerde op de geschiedenis van Jozef en de vrouw van Potifar. Cats beschreef Jozef daarin als 'een uytnemende exempel van krachtige wederstant jeghens de vinnige invallen dez vleesches', terwijl de vrouw van Potifar 'onze bedorven aerdt' moest tonen. Cats gaf op deze wijze aan hoe de gelovigen bijbelverhalen moesten vertalen naar het dagelijks leven.

Het bewaard gebleven 17de en 18de-eeuwse meubilair met bijbelse voorstellingen, geeft aan met welke bijbelverhalen het dagelijks leven van welgestelde protestanten doordrongen was. Behalve om rijkdom te tonen was dit huisraad vooral bedoeld om de godsdienstijver van de eigenaars te illustreren. De beschilderde meubelen geven er een beeld van hoe men in de 17de en 18de eeuw de woorden van 'vader' Cats ter harte nam en zich in huis aan alle kanten omringde met bijbelse voorbeelden.

J.R. Jas

72 Haardscherm uit de Zaanstreek met de verloren zoon (cat. nr. 191)

73 Assendelfter kast met de geschiedenis van Jozef (cat. nr. 140)

71 Kistje met het leger van de farao verdrinkt in de Rode Zee (Zuiderzeemuseum, Enkhuizen)

1. J. Le Francq van Berkhey, *Natuurlijke Historie van Holland*, III-2, Amsterdam 1769, p. 943, 974.
2. Lunsingh Scheurleer 1961, p. 98.
3. J. de Kleyn, Decoratieve figuren in huis, *Antiek* 1 (1966-1967) 35-36.
4. Hendrik Soeteboom, *Oudheeden van Zaan-land, Vronen en Waterland, I: Saan-lants Arcadia*, Amsterdam 1702, p. 544.
5. M.P. van Buytenen, *Hindeloopen, Friesland's Elfde Stede*, Amsterdam 1946, p. 29.
6. S. Honig Jz., Iets over beschilderde Zaanse meubels, naar aanleiding van een nieuwe aanwinst, *Bijdragen en mededelingen van Het Nederlands Openluchtmuseum* 35 (1972) 1, p. 18.
7. J.M. Welcker, Doopsgezinden aan de Zaan, *Doopsgezinde Bijdragen, nieuwe reeks*, 6 (1980) 166-169; id., Het dagelijks brood. De doopsgezinden, de economie en de demografie, *Wederdopers, mennisten, doopsgezinden in Nederland 1530-1980*, S. Groenveld e.a. (red.), 2e dr., Zutphen 1981, p. 196, 200-201; S.O. Roosjen, N.D. Kroese en W. Eekhoff, *Merkwaardigheden van Hindeloopen*, Leeuwarden 1855, p. 8, 39.
8. J.M. Welcker, Doopsgezinden aan de Zaan, *Doopsgezinde bijdragen, nieuwe reeks*, 6 (1980) 165.
9. J. Hartog. *De spectatoriale geschriften van 1741-1800. Bijdrage tot de kennis van het huiselijk, maatschappelijk en kerkelijk leven onder ons volk, in de tweede helft der 18de eeuw*, 2e dr., Utrecht 1890, p. 230.
10. J.A. Emmens, *Rembrandt en de regels van de kunst*, Utrecht 1964, p. 131-136.
11. Albert Verwey (ed.), *Vondel. Volledige dichtwerken en oorspronkelijk proza*, Amsterdam 1986, p. 105.
12. Dit in tegenstelling tot Kruissink, die meent dat de voorstelling ontleend is aan de combinatie van twee bijbelprenten, Kruissink 1970(1), p. 9-12.
13. Zowel in het Fries Museum (Leeuwarden) als in het Zuiderzeemuseum (Enkhuizen) bevinden zich hoekkastjes die identiek zijn aan het exemplaar in de collectie van Het Catharijneconvent; Kruissink 1970(1), p. 12-13, afb. 26-27.
14. Zie het artikel van W.C.M. Wüstefeld.
15. Sinds de ontdekking door Triebels van de navolging van de bijbelprenten van Schut op beschilderd meubilair, zijn veel publicaties verschenen die dit illustreren. De belangrijkste zijn: Boonenburg 1958; Triebels 1960; Triebels 1961; Kruissink 1970(1).
16. Christian Tümpel, Religieuze Historieschilderkunst, cat. tent. Amsterdam 1980, p. 50; id., Die Reformation und die Kunst der Niederlande, tent. cat. *Luther und die Folgen für die Kunst*, Hamburg (Kunsthalle) 1983, p. 309-321.
17. Ook in de Hollandse 17de-eeuwse schilderkunst was de vinding van Mozes een zeer populair onderwerp, zie cat. tent. Amsterdam 1981, cat. nr. 61.
18. Albert Verwey (ed.), *Vondel. Volledige dichtwerken en oorspronkelijk proza*, Amsterdam 1986, p. XXX.
19. Susan Donahue Kuretsky, Bijfiguren en buitenbeentjes, cat. tent. Amsterdam 1981, p. 255 en cat. nr. 85, waar ook vermeld wordt dat in Jan Steens Ester, Haman en Ahasveros uit ca. 1668 sprake is van directe invloed van het 17de-eeuwse drama met Ester als onderwerp.
20. J. Cats, *Tooneel der mannelicke achtbaerheyt..., Alle de wercken*, I, Amsterdam 1712, p. 213.
21. Albert Blankert, Algemene inleiding, cat. tent. Amsterdam 1981, p. 22.
22. Veldman 1986; dat de Ester-geschiedenis in de 17de eeuw werd gebruikt om de rol van de vrouw aan te geven blijkt ook uit het gedicht van Cats, o.c. p. 213-232.
23. Beatrijs Brenninkmeijer-de Rooij, 'Aansien doet gedencken'. Historieschilderkunst in openbare gebouwen en verblijven van de stadhouders, cat. tent. Amsterdam 1981, p. 65-75.
24. J.F.M. Kat, *De Verloren Zoon als letterkundig motief*, Nijmegen 1952, p. 11; P.J. Meertens, o.c. p. 265.
25. Barbara Haeger, Cornelis Anthonisz' Representation of the Parable of the Prodigal Son. A Protestant Interpretation of the Biblical Text, *Nederlands Kunsthistorisch Jaarboek*, 37 (1986) 133-150.
26. Boiten-Heijbroek 1983, p. 28.
27. Mededeling S. Honig Jz., Nederlands Openluchtmuseum.

75 Assendelfter kast met de geschiedenis van Ester (cat. nr. 102)

74 Marker kast met de geschiedenis van de profeet Elia (cat. nr. 156)

76 Schotel met Jakob ontmoet Rachel bij de bron (cat. nr. 54)

77 Suikerstrooilepels met het offer van Abraham (cat. nr. 127)

78 Dienblad met de droom van Jakob (cat. nr. 133)

Korte inhoud van enkele bijbelverhalen

De aartsvaders Abraham, Izaäk en Jakob (Gen. 12-36)

Abraham geldt als de stamvader van niet alleen de Israëlieten, maar van alle gelovigen. In opdracht van Jaweh trekt hij uit Ur in Chaldea naar Kanaän. Jaweh sluit met hem een verbond en belooft hem een nageslacht, talrijk als de sterren en het zand van de zee. Tijdens een bezoek van drie engelen, wordt Abraham opnieuw een zoon beloofd. Pas als hij en zijn vrouw Sara al bejaard zijn, wordt hun zoon Izaäk geboren.

Ismaël, de zoon die Abraham bij de slavin Hagar heeft, wordt niet in het verbond opgenomen. Met zijn moeder wordt hij verstoten. Wanneer zij moedeloos in de woestijn dwalen, worden zij getroost door een engel. Ismaël vestigt zich in de zuidelijke woestijnstreek.

De steden Sodom en Gomorra worden verwoest nadat de inwoners geen gastvrijheid verleend hebben aan twee engelen die in gezelschap van Jaweh in mensengedaanten Sodom bezoeken. Op voorspraak van Abraham krijgt zijn neef Lot, die in deze stad woont, de gelegenheid bijtijds met zijn gezin te vluchten, maar zijn vrouw verandert in een zoutpilaar als zij in strijd met het verbod omkijkt naar de brandende stad. Lot gaat met zijn twee dochters in een berggrot wonen. Verstoken van het contact met andere mannen, voeren de dochters hun vader dronken en verleiden hem. Uit deze incestueuze omgang worden twee zonen geboren; zij zijn de stamvaders van de Moabieten en de Ammonieten, twee volkeren waarmee Israël later geregeld in oorlog raakt.

Later stelt Jaweh het geloof van Abraham op de proef door hem op te dragen zijn zoon op de berg Moira te offeren. Op weg daarheen verwondert Izaäk, die het brandhout draagt, zich over het ontbreken van een offerdier. Als Abraham zijn zoon op de brandstapel heeft gebonden en het offermes heft, grijpt een engel in. Hij wijst op een ram in de struiken dat nu in de plaats van Izaäk geofferd wordt. Abrahams trouw aan Jaweh heeft de proef doorstaan.

Als Izaäk de huwbare leeftijd heeft bereikt, laat zijn vader zijn dienaar (Eliëzer geheten?) zweren geen Kanaänitisch meisje voor Izaäk uit te kiezen, maar een vrouw te zoeken in het land van zijn voorgeslacht. Beladen met bruidsgeschenken gaat de dienaar op reis.

Aangekomen in Nachor in Mesopotamië ontmoet hij bij een waterput een meisje dat hem en zijn kamelen te drinken geeft en hem uitnodigt bij haar familie te overnachten. Zij heet Rebekka en is een kleindochter van de broer van Abraham. De dienaar geeft haar sieraden ten geschenke, waarna haar broer Laban hem gastvrijheid biedt. De dienaar maakt het doel van zijn missie bekend en vraagt Laban het meisje met hem mee te laten gaan. Als ook zijzelf heeft toegestemd, keert de dienaar met Rebekka terug. Izaäk neemt haar tot vrouw.

79 Gevelsteen met het offer van Abraham (cat. nr. 70)

Zij krijgen een tweeling: Ezau en Jakob, tussen wie grote rivaliteit groeit. De ruige jager Ezau, die vóór zijn broer ter wereld is gekomen, verkoopt Jakob het eerstgeboorterecht voor een schotel linzenmoes.

Op zijn sterfbed wil de blind geworden Izaäk zijn oudste zoon zegenen, maar hij wordt misleid: Rebekka omhult de armen en de nek van Jakob met een dierevel, zodat Izaäk meent de behaarde Ezau voor zich te hebben. Hoewel de zegen door list is verkregen, wordt Jakob de drager van het verbond van Jaweh met Abraham. Verbitterd gaat Ezau buiten Kanaän wonen; zijn nakomelingen zijn de Edomieten.

Tijdens een nachtelijke worsteling van Jakob met een engel geeft deze hem de naam Israël. Hij krijgt twaalf zonen, uit wie de twaalf stammen van het uitverkoren volk Israël voortkomen. De derde zoon, Juda, is de voorvader van David, uit wiens geslacht Jezus geboren wordt.

80 Kastje met de droom van Jakob (cat. nr. 48)

81 Schotel met het vinden van de beker in Benjamins zak (cat. nr. 139)

82 Schotel met de broers die zich voor Jozef neerbuigen (cat. nr. 139)

Jozef (Gen. 37-47)

Jakob heeft bij vier vrouwen (Lea en Rachel en hun twee slavinnen) twaalf zonen gekregen. Rachel is de moeder van Jozef en Benjamin.

Jozefs halfbroers hebben een hekel aan hem, niet alleen omdat de jongen alles wat zij doen doorvertelt en in een opzichtige mantel rondloopt die zijn vader hem heeft gegeven, maar vooral vanwege de dromen die Jozef vertelt. Daarin buigen eerst elf korenschoven en later de zon, de maan en elf sterren zich voor hem. De broers beschuldigen Jozef ervan, dat hij zich in deze dromen boven zijn familie verheven voelt.

Als zij eens bij Dothan hun kudden weiden en Jozef hen komt opzoeken, besluiten de broers hem te doden. De oudste, Ruben, weet dit te voorkomen, zodat Jozef voorlopig levend in een put wordt gegooid, waaruit Ruben hem later hoopt te bevrijden. Op voorstel van een van de anderen, Juda, wordt Jozef echter verkocht aan een voorbijtrekkende karavaan. Zijn pronkkleed wordt, besmeurd met het bloed van een bokje, naar vader Jakob gebracht met het valse bericht, dat zijn lieveling door roofdieren is verslonden.

De kooplieden brengen Jozef naar Egypte, waar hij in dienst komt van de hoveling Potifar. Diens vrouw probeert hem te verleiden, maar Jozef weigert op haar avances in te gaan. Wanneer hij haar ontvlucht, weet zij hem zijn mantel te ontfutselen. De vrouw gebruikt het kledingstuk als bewijs voor haar beschuldiging dat Jozef haar wilde aanranden. Potifar laat hem in de gevangenis zetten.

Aan twee medegevangenen, de opperschenker en de opperbakker van de farao, verklaart hij hun dromen. Beide dromen komen uit zoals Jozef voorspeld heeft: de bakker wordt drie dagen later terechtgesteld, de schenker wordt in zijn functie hersteld.

Enige jaren later heeft de farao twee dromen. Zeven vette koeien die uit de Nijl komen, worden opgegeten door zeven magere koeien. Zeven verdorde korenaren verzwelgen zeven volle aren. Als de geleerden geen verklaring vinden, herinnert de schenker zich de man uit de gevangenis. Jozef wordt bij de farao gebracht en legt de dromen uit: na zeven vruchtbare jaren zullen er zeven jaren van hongersnood komen. Jozef wordt nu tot onderkoning van Egypte benoemd en krijgt de opdracht graanvoorraden aan te leggen.

Als de periode van hongersnood is aangebroken, reizen Jozefs broers vanuit Kanaän naar Egypte om koren te kopen. Alleen Benjamin, nu Jakobs liefste zoon, blijft thuis. De broers herkennen Jozef niet en buigen voor hem neer: zo komen na veel jaren ook Jozefs eigen dromen uit. Jozef stelt hen op de proef, noemt hen verspieders, eist dat zij Benjamin gaan halen en houdt een van hen in gijzeling achter. Het geld dat zij voor het koren moeten betalen, laat hij in hun reiszakken terugstoppen.

Na enige tijd dwingt de hongersnood de broers opnieuw bij Jozef koren te gaan kopen. Ondanks angstige voorgevoelens – zij zouden immers wegens diefstal aangeklaagd kunnen worden – staat Jakob toe, dat Benjamin met hen meereist. In Egypte richt Jozef een grote maaltijd voor zijn verbaasde broers aan, waarbij hij zich evenwel nog niet bekend maakt. Voordat de broers met koren beladen terugreizen, laat Jozef zijn zilveren beker in de reiszak van Benjamin verstoppen. Wanneer zij net aan de terugreis begonnen zijn, laat hij hen arresteren. Jozef gebiedt dat Benjamin wegens diefstal in Egypte achterblijft. Juda smeekt Jozef de jongen te laten gaan: hun vader zal sterven van verdriet als voor de tweede maal een zoon van Rachel niet bij hem terugkeert.

Jozef kan zich nu niet langer bedwingen en onthult wie hij is. Hij draagt zijn broers op, hun vader uit Kanaän op te halen. Na het emotionele weerzien vestigen Jakob en zijn zonen met hun familie zich in de Egyptische landstreek Gosen, echter niet nadat Jozef heeft gezworen zijn vader in Kanaän te zullen begraven.

83 Zilveren beker met o.a. Jozef die vlucht voor de vrouw van Potifar (cat. nr. 134)

84 Tegeltableau met Jefta ontmoet zijn dochter (cat. nr. 106)

Jefta (Ri. 10-12)

Na de dood van Jozua, de opvolger van Mozes, keert het volk Israël zich af van zijn eigen God en zoekt het zijn heil bij vreemde goden als Baäl en Astartes. Steeds weer worden de Israëlieten voor hun ontrouw jegens Jaweh gestraft met invasies door andere volkeren. Israëls aanvoerders zijn door Jaweh aangestelde 'Richters', die het volk van zijn dwaalwegen moeten terugroepen. Eén van hen is Jefta.

Wanneer de Filistijnen en de Ammonieten, die het overjordaanse gebied van Israël bezetten, de Jordaan dreigen over te steken, komen de afvallige Israëlieten tot inkeer en vragen Jaweh om redding. Zij gaan op zoek naar iemand die de strijd tegen de Ammonieten durft aan te voeren. De bendeleider Jefta, een verstoten bastaardzoon van Gilead, verklaart zich daartoe bereid, nadat hem het leiderschap over heel het land is beloofd. Jefta treedt eerst met de koning der Ammonieten in onderhandeling, maar deze weigert op ieder vredesvoorstel in te gaan. Jefta besluit dan de Ammonieten in een veldslag te bevechten.

Voor hij ten strijde trekt, doet hij de plechtige gelofte om na een overwinning het eerste dat hem uit zijn huis in Mizpa tegemoet komt aan Jaweh te offeren. Als hij zegevierend terugkeert, is het zijn eigen dochter die dansend uit het huis op hem afkomt om hem met tamboerijnspel te verwelkomen. De radeloze Jefta ziet zich verplicht zijn gelofte gestand te doen. Het meisje, dat zich vrijwillig aan haar vonnis onderwerpt, trekt zich twee maanden met haar vriendinnen in de bergen terug om haar maagdelijke dood te beklagen. Daarna sterft zij de offerdood.

Later straft Jefta in een veldslag de stam van de Efraïmieten, die geweigerd hadden mee te vechten tegen de Ammonieten. Zes jaar lang is hij Richter over Israël.

Ester (Est. 1-10)

In de vijfde eeuw v.Chr. regeert koning Ahasveros (Xerxes) over het grote rijk van Meden en Perzen. Op zekere dag verstoot hij zijn echtgenote koningin Vasthi, omdat zij niet wil verschijnen op een feestmaal dat Ahasveros voor zijn vorsten en vazallen heeft aangericht. Het mooie joodse meisje Ester wordt uitgekozen om haar plaats aan het hof in te nemen. De koning raakt zeer gecharmeerd van zijn nieuwe liefde, maar Ester verzwijgt op aanraden van haar voogd en familielid Mordechaï haar joodse afkomst.

Nadat Ester tot koningin is gekroond, ontdekt Mordechaï dat twee lijfwachten een aanslag op de koning beramen. Hij meldt dit aan Ester, die de koning bijtijds waarschuwt. De koning laat de zaak in de annalen noteren.

Enige tijd later benoemt Ahasveros de vazal Haman in een functie boven die van de andere vorsten. Wanneer Haman ontdekt, dat de jood Mordechaï hem niet de vereiste eerbetuigingen brengt, weet hij de koning ertoe te bewegen een wet uit te vaardigen die bepaalt dat het hele joodse volk op een door het lot (poer) vastgestelde dag uitgeroeid wordt. De koning bekrachtigt het besluit door Haman zijn zegelring te geven. Het bevel wordt door ijlboden naar alle uithoeken van het rijk gebracht.

Mordechaï vraagt Ester haar positie aan te wenden om de slachting te voorkomen. Hoewel het tegen de hofregels is, gaat zij onaangekondigd de vertrekken van Ahasveros binnen. Deze reikt haar zijn scepter, ten teken dat hij de onverwachte komst van zijn geliefde koningin niet afwijst. Ester nodigt de koning uit om de volgende dag samen met Haman bij haar te komen eten.

Haman is zeer verguld met de uitnodiging, maar ontsteekt in woede als hij ziet dat Mordechaï weer niet voor hem neerbuigt. Hij besluit een paal op te richten, waarop hij Mordechaï de volgende morgen wil spietsen.

Als de koning die nacht niet kan slapen, laat hij zich voorlezen uit de annalen. Bij de passage over de mislukte aanslag realiseert hij zich dat hij Mordechaï na diens ontdekking ervan nooit onderscheiden heeft. Hij roept Haman bij zich en vraagt hem te zeggen, hoe iemand op passende wijze door de koning beloond kan worden. In de overtuiging dat de koning hem op het oog heeft, geeft Haman zijn advies. Zo wordt hij ertoe gedwongen, de eer die hij zichzelf toedenkt – rondgereden worden in een koninklijk gewaad op een koninklijk paard – aan Mordechaï te bewijzen, juist op de dag waarop hij hem had willen doden.

Tijdens de maaltijd in het verblijf van de koningin smeekt Ester Ahasveros de wet die haar en haar volk bedreigt, te herroepen. Als zij Haman, 'die booswicht daar', aanwijst als de ontwerper ervan, beseft de koning om welke wet het gaat en dat ook Ester daarvan het slachtoffer zal worden. In zijn toorn laat hij Haman spiesen op de paal die deze voor Mordechaï had bestemd. Een wet van Meden en Perzen kan niet herroepen worden, maar een nieuw uitgevaardigde wet staat de joden toe, zich te wreken op ieder die hen op de door Haman bepaalde dag naar het leven staat. Wat een onheilsdag dreigde te worden, verandert in een triomfdag.

De dag erna wordt uitgeroepen tot een feestdag, die volgens voorschrift van de nu in hoog aanzien geplaatste Mordechaï jaarlijks gevierd dient te worden. Nog steeds wordt op het Poerimfeest de redding herdacht die het joodse volk aan Esters optreden dankt.

85 Poppewiegje uit de Zaanstreek met Ester voor koning Ahasveros (cat. nr. 107)

Tobit en Tobias (Tobit 1-14, apocrief)

Tobit, een rechtvaardig man uit de stam van Naftali, leeft met zijn vrouw Anna en hun zoon Tobias in Ninevé. In dit ballingsoord blijft hij op God vertrouwen. Hij houdt zich strikt aan de joodse wetten, deelt aalmoezen uit aan de armen en begraaft ondanks het verbod van de Assyriërs zijn gedode volksgenoten.

Als dit laatste uitkomt, worden zijn bezittingen in beslag genomen en moet hij onderduiken. Na de komst van een nieuwe koning keert hij naar zijn huis terug. Eens onderbreekt hij een feestmaal om opnieuw een dode te begraven. Niet in de gelegenheid zich ritueel te reinigen, blijft hij buiten slapen. Er valt vogeldrek in zijn ogen en hij wordt blind.

Zijn vrouw probeert nu met handwerken iets te verdienen. Als zij op een dag thuis komt met een bokje dat zij als beloning voor haar werk heeft gekregen, verdenkt Tobit haar van diefstal en laat haar het bokje terugbrengen. In zijn ellende verlangt Tobit naar de dood.

Na enige tijd stuurt hij zijn zoon naar Rages in Medië om daar het geld terug te vragen dat Tobit ooit aan een zekere Gabaël in bewaring heeft gegeven. Op zoek naar een reisgenoot ontmoet Tobias iemand die zegt Azarias te heten en de weg naar Rages goed te kennen. Samen gaan zij op pad, nadat Tobit zijn zoon op het hart heeft gedrukt steeds naar Gods geboden te leven. De hond gaat mee.

Onderweg wordt Tobias tijdens het zwemmen in de Tigris belaagd door een grote vis. Zijn reisgezel zegt hem het dier te vangen en hart, lever en gal eruit te snijden en te bewaren.

Niet ver van de eindbestemming logeren zij bij Raguël, een familielid van Tobias. Diens enige dochter Sara wordt geplaagd door een demon. Deze heeft al zeven echtgenoten gedood nog eer zij met hun bruid de huwelijksnacht konden doorbrengen. Om haar gedwongen maagdelijke staat wordt Sara bespot en zij wil niet langer leven.

Zijn metgezel geeft Tobias echter de raad met Sara te trouwen, omdat zij immers een meisje van zijn eigen stam is. Haar vader waarschuwt de jongen, maar Azarias heeft Tobias gezegd hoe hij moet handelen en de huwelijksovereenkomst wordt gesloten. Voordat hij de nacht bij Sara doorbrengt, brandt hij het hart en de lever van de vis in een wierookschaal. Door de rook wordt de demon voorgoed verdreven.

Na het bruiloftsfeest keert Tobias met zijn vrouw en met het geld dat zijn vriend intussen uit Rages heeft opgehaald, terug naar Ninevé, waar zijn bezorgde ouders op hem wachten. Op aanraden van Azarias smeert Tobias de vissegal op de blinde ogen van zijn vader. Hierdoor wordt hij weer ziende. Vol vreugde begroet Tobit zijn schoondochter.

Als Tobit en Tobias aan Azarias zijn loon willen betalen, maakt deze hun zijn ware identiteit bekend: hij is de door God gezonden engel Rafaël. Hierna verdwijnt hij naar de hemel. Tobit uit zijn dankbaarheid in een loflied.

Na hun dood begraaft Tobias zijn ouders met grote eer en vertrekt met zijn gezin naar zijn schoonvader in Medië, zoals Tobit hem had aangeraden. Kort voor hijzelf na een godvruchtig leven sterft, verneemt hij dat Ninevé is gevallen.

86 Zilveren schaalbodem met links: het feestmaal dat Tobit onderbreekt, rechts de slapende Tobit, op de achtergrond Anna met het bokje (cat. nr. 32)

87 Zilveren schaalbodem met Tobias en de engel. Links op de achtergrond vangt Tobias op aanwijzing van de engel de vis (cat. nr. 32)

88 Judith bezoekt het legerkamp van Holofernes. Detail van een Hindelooper schrijnkastje (cat. nr. 101)

Judith en Holofernes (Judith 1-16, apocrief)

Onder leiding van de veldheer Holofernes trekt het Assyrische leger uit Ninevé op om heel het Midden-Oosten in de macht van koning Nebukadnezar te brengen. De meeste volken hebben zich onderworpen, maar Israël, dat nog maar pas uit ballingschap is teruggekeerd, maakt zich op om zijn gebied te verdedigen. Vanwege haar strategische ligging bij een nauwe bergpas moet de stad Betulia de vijand de doorgang beletten.

Holofernes, die niet op dit verzet gerekend had, krijgt van zijn onderbevelhebber Achior de raad de Israëlieten niet aan te vallen, aangezien hun God hen zeker zal beschermen. Verontwaardigd laat Holofernes Achior aan Betulia uitleveren en hij belegert de stad met een onafzienbare legermacht. Doordat de Assyriërs ook de waterbronnen hebben bezet, dreigen de inwoners van dorst om te komen. Als zij de moed beginnen te verliezen, vraagt de stadsbestuurder Uzzia nog vijf dagen geduld: als God dan nog niet heeft ingegrepen, zal hij de stad overgeven.

Judith, een aantrekkelijke en vrome weduwe, verwijt Uzzia dat hij op deze manier God op de proef stelt. Zij belooft een door haar bedacht plan de volgende nacht uit te voeren.

In haar mooiste kleren begeeft zij zich met haar dienstmeisje naar het kamp van de vijand. Zij doet zich daar voor als een overloopster en voorspelt dat Betulia binnenkort kan worden ingenomen. Holofernes, onder de indruk van haar verschijning, gelooft haar en neemt haar op in de legerplaats. Haar verzoek om 's nachts op een plek buiten het kamp te mogen bidden, wordt toegestaan.

Op de avond van de vierde dag nodigt Holofernes haar uit in zijn tent. Als na de maaltijd de andere gasten verdwenen zijn, wil hij haar verleiden, maar de wijn heeft hem zo dronken gemaakt dat hij in onmacht op bed valt. Judith pakt hem nu bij zijn haar en hakt met zijn zwaard zijn hoofd af.

Het hoofd wordt verstopt in de tas van het dienstmeisje, dat buiten staat te wachten. Onder het voorwendsel te gaan bidden verlaten zij het kamp en keren via een omweg in Betulia terug. Triomfantelijk haalt Judith het hoofd te voorschijn en roept haar verraste stadgenoten toe: 'De Heer heeft hem gedood door de hand van een vrouw'.

De volgende morgen wordt het hoofd van Holofernes tegen de stadswal gehangen en doen de inwoners een schijnuitval in de richting van het vijandelijke kamp. De Assyriërs rennen naar de tent van Holofernes, maar als zij het onthoofde lijk vinden, raken ze in paniek en slaan op de vlucht, achterna gezeten door krijgslieden uit heel Israël. De krijgsbuit is voor de inwoners van Betulia. Terwijl iedereen haar heldhaftig optreden prijst, bezingt Judith Gods redding van Israël.

89 Judith met het hoofd van Holofernes. Detail van een beeldenkast (cat. nr. 43)

90 De steniging van de ouderlingen. Een van de panelen van een beeldenkast met de geschiedenis van Suzanna (cat. nr. 43)

91 Suzanna en haar familie danken God. Een van de panelen van een beeldenkast met de geschiedenis van Suzanna (cat. nr. 43)

Suzanna en de volksoudsten (Dan. 13, apocrief)

Suzanna, een mooie vrouw uit de stam van Juda, is getrouwd met Joakim, de aanzienlijkste man van alle in Babel wonende ballingen. Zijn huis, gelegen in een groot park, is een trefpunt van andere vooraanstaande joden.

Twee volksoudsten, die tot rechters zijn aangesteld, raken in de ban van Suzanna's schoonheid. Hitsig begluren zij haar telkens als zij gaat wandelen.

Op een warme dag krijgt Suzanna, als zij met haar dienstmeisjes in het park loopt, zin om in een bron of beek te baden. Zij stuurt de meisjes weg om geurige badolie te halen en laat hen het hek van het park op slot doen. De twee rechters hebben zich echter achter een boom verscholen en komen nu te voorschijn. Zij willen dat Suzanna, nu niemand hen kan zien, met hen de liefde bedrijft; anders zullen zij zeggen dat zij haar op overspel met een jonge man betrapt hebben. Suzanna roept om hulp, maar de rechters schreeuwen tegen haar in, openen het hek en doen hun verhaal aan het toegesnelde personeel.

Er volgt een rechtszaak, waarin de rechters hun valse getuigenis uitspreken. Omdat volgens de wetten van Mozes op echtbreuk de doodstraf staat, moet Suzanna sterven.

Op haar gebed laat God de jonge Daniël (zijn naam betekent: 'God is mijn rechter') ingrijpen in de procesgang. Hij bepleit een nader onderzoek en krijgt toestemming de twee rechters afzonderlijk aan een verhoor te onderwerpen. Als antwoord op de vraag, onder welke boom zij Suzanna stonden te begluren, noemt de eerste een mastiekboom en de ander een steeneik. Uit deze tegenspraak blijkt de leugen van hun getuigenis. Zij krijgen de straf die zij Suzanna hadden toebedacht: dood door steniging.

Nu de onschuld van Suzanna is gered, staat Daniël voortaan bij het volk in hoog aanzien.

92 Knottekistje met Suzanna bespied door de ouderlingen (cat. nr. 34)

Drie vrouwen bij Jezus

Drie jaar lang trekt Jezus van Nazareth als rabbi met zijn leerlingen door Israël. Hij predikt het koninkrijk van God, geeft onderricht door middel van parabels, geneest zieken en verricht talrijke wonderen. Zijn optreden maakt indruk op de mensen, maar brengt hem herhaaldelijk in conflict met de schriftgeleerden en Farizeeën, de religieuze leiders van Israël.

De overspelige vrouw (Joh. 8: 1-11)

Op een dag brengen de Farizeeën een vrouw die op overspel is betrapt, bij Jezus. Zij willen weten of hij haar tot steniging veroordeelt, zoals de wet van Mozes voorschrijft. Als reaktie schrijft Jezus iets op de grond en vraagt dan wie zonder zonden is, de eerste steen te werpen. Als de Farizeeën hierop niets durven te zeggen, laat Jezus de vrouw gaan zonder haar te veroordelen.

94 Schotel met Christus en de Kananese vrouw (cat. nr. 73)

93 Schaaltje met Christus en de overspelige vrouw (cat. nr. 173)

De Kananese vrouw (Mat. 15: 21-28)

Jezus is met zijn leerlingen in de noordelijke kuststrook van het land, als hij wordt nagelopen door een Kananese vrouw die niet tot het volk Israël behoort. Zij smeekt hem haar geesteszieke dochter te genezen. Aanvankelijk wijst Jezus haar af met het argument dat hij alleen een missie in Israël heeft: het brood dat voor de eigen kinderen bestemd is, mag niet aan de honden gegeven worden. Maar de vrouw houdt aan: eten de honden niet de kruimels onder de tafel van hun meester? Jezus ziet haar volhardend geloof en geeft zich gewonnen. Haar dochter wordt genezen.

De Samaritaanse vrouw (Joh. 4: 1-42)

Op reis van Judea naar Galilea komt Jezus door Samaria, een gebied dat niet bij Israël hoort. Terwijl hij in de buurt van de stad Sichem uitrust bij een put die daar ooit door de aartsvader Jakob is aangelegd, komt een vrouw er water putten. Hoewel een Judeeër geacht wordt niet met inwoners van Samaria te spreken, vraagt Jezus haar te drinken. Hij zegt haar dat hij haar 'levend water' kan geven: wie ervan drinkt zal in eeuwigheid geen dorst meer hebben. Wanneer Jezus vervolgens blijkt te weten dat er meer dan één man in haar leven geweest is, noemt de verbaasde vrouw hem een profeet. Jezus maakt zich dan bij haar bekend als de Messias.

Als zijn leerlingen eraan komen, roept de vrouw de mensen uit de stad erbij. Veel Samaritanen komen evenals de vrouw onder de indruk van zijn woorden en geloven dat hij de beloofde Messias is.

N.H. Koers

95 Tapisserie met Christus en de Samaritaanse vrouw
(cat. nr. 40)

Lijst van bruikleengevers

Amsterdam, Collectie E. van Drecht

Amsterdam, Collectie J. Vecht

Amsterdam, Dutch Renaissance Art

Amsterdam, Rijksmuseum

Amsterdam, Rijksprentenkabinet, Rijksmuseum

Apeldoorn, Antiek- en Kunstgalerie 'Het Loo'

Arnhem, Het Nederlands Openluchtmuseum

Bergen op Zoom, Gemeentelijk Museum Het Markiezenhof

Enkhuizen, Rijksmuseum Het Zuiderzeemuseum

Gouda, Gemeentelijke Musea

's-Gravenhage, Collectie A. Aardewerk

's-Gravenhage, Collectie Haags Gemeentemuseum

's-Gravenhage, Collectie Wttewaall

Hindeloopen, Museum Hidde Nijland Stichting

Hoorn, Westfries Museum

Leeuwarden, Collectie Beeling

Leeuwarden, Fries Museum

Leeuwarden, Museum Het Princessehof/Nederlands Keramiekmuseum

Leiden, Bibliotheca Thysiana

Leiden, Bibliotheek der Rijksuniversiteit te Leiden

Leiden, Het Pijpenkabinet

Leiden, Stedelijk Museum de Lakenhal

Otterlo, Het Nederlands Tegelmuseum

Rotterdam, Historisch Museum Het Schielandhuis

Rotterdam, Maritiem Museum Prins Hendrik

Rotterdam, Museum Boymans-van Beuningen

Schoonhoven, Nederlands Goud-, Zilver- en Klokkenmuseum

Sneek, Fries Scheepvaart Museum

Utrecht, Bibliotheek der Rijksuniversiteit te Utrecht

Utrecht, Centraal Museum

Zaandijk, Zaanlandse Oudheidkamer

Particuliere collecties

Catalogus

Voorstellingen die meerdere keren voorkomen, zijn niet voorzien van bijbelvindplaatsen. Deze vindplaatsen zijn opgenomen in het register op p. 109. Korte samenvattingen van veelvoorkomende bijbelverhalen zijn te vinden in deze catalogus p. 69 tot 95.

I Introductie

De doop van de kamerling was één van de vele verhalen uit de bijbel die Rembrandt in beeld bracht. Ook andere kunstenaars schilderden bijbelse geschiedenissen. Net als de schilderijen van Rembrandt hingen die dan gewoon bij de mensen thuis.

Deze bijbelse verhalen moesten inspireren tot het leiden van een goed en zedelijk leven. De bewoners van onze streken omringden zich graag met dergelijke voorstellingen. Zij deden dit niet alleen door schilderijen op te hangen. Ook op hun huisraad beeldden zij allerlei oud- en nieuwtestamentische taferelen af. Dit gebruik bleef, met name in de 'volkskunst', ook in de volgende eeuwen bestaan. Tot in de 19de eeuw waren in het Nederlandse interieur geliefde bijbelverhalen op huisraad te vinden.

1 **De doop van de kamerling**
Rembrandt van Rijn (1606-1669), gesigneerd en gedateerd RHL 1626
Olieverf op paneel, 64 x 47,5 cm
Rijksmuseum Het Catharijneconvent, Utrecht (ABM s 380; aangekocht met steun van de Vereniging Rembrandt en het Prins Bernhard Fonds)
Lit.: Defoer 1977; Schillemans 1989

Op dit jeugdwerk heeft Rembrandt het moment in beeld gebracht waarop Filippus de doop bedient aan de kamerling. In tegenstelling tot de bijbeltekst, maar in aansluiting op de iconografische traditie, zijn de beide personen niet afgedaald in het water, maar knielt de kamerling bij een watertje neer.

2 **De doop van de kamerling**
Rombout van Troyen (1605-1656), 1625-1635
Olieverf op paneel, 18,1 x 25,7 cm
Rijksmuseum Het Catharijneconvent, Utrecht (BMH s 474a)
Lit.: Marijnen 1983

Het onderwerp de doop van de kamerling was sinds het begin van de 17de eeuw een geliefd thema. De voorstelling werd dan ook talrijke malen in beeld gebracht. Dit schilderij heeft als pendant cat. nr. 143.

3 **Tabaksdoos**
18de eeuw
Koper, 8 x 11,5 x 2,5 cm
Nederlands Openluchtmuseum, Arnhem (NOM MI 2467)
Lit.: Triebels 1961, p. 240

Aan de ene zijde de doop van de kamerling, aan de andere zijde de genezing van een kreupele man door Paulus (Hand. 14: 7-8). De voorstellingen op deze tabaksdoos zijn gegraveerd naar de grote prenten van Schut (zie cat. nr. 84).

4 **Snuifdoos**
Cornelis van Hoek, Amsterdam 1809
Zilver, 2,8 x 6 x 3,7 cm
Collectie Wttewaall, 's-Gravenhage
Lit.: Wttewaall 1987, p. 248

Aan de bovenzijde de voorstelling de doop van de kamerling, aan de onderzijde de aankondiging van Christus' geboorte. Ook op deze vroeg 19de-eeuwse snuifdoos is nog altijd de invloed van de prenten van Schut te zien: de graveur lijkt een combinatie te hebben gemaakt van de grote en de kleine prenten van Schut.

5 **Mastschild met de doop van de kamerling**
18de eeuw
Eikehout, 75 x 32 cm
Historisch Museum Het Schielandhuis, Rotterdam (40063)

Op dit sierstuk, afkomstig van een veerboot die van Rotterdam op Den Haag en Leiden voer, is de voorstelling in twee delen afgebeeld. Geheel onder is de handeling van de doop te zien, daarboven bevindt zich de wagen waarin de kamerling op reis was. Geheel boven zijn wapens afgebeeld: v.l.n.r. het gewest Holland en de stad Leiden, daaronder Den Haag en Rotterdam.

II Het bijbels humanisme

In de loop van de 16de eeuw gaan in het interieur afbeeldingen van oudtestamentische helden en heldinnen de plaats innemen van de gekruisigde Christus, Maria of heiligen. Rebekka, die zonder aarzeling haar ouders verliet om met Izaäk te huwen, gold als een voorbeeldige vrouw. De figuur van Jozef, vluchtend voor de vrouw van Potifar, waarschuwde tegen de verleiding. Abigaïl werd geprezen als een verstandige en vredelievende vrouw. Het verhaal van de kuise Suzanna sierde haardstenen en kruiken. Ook verhalen uit het Nieuwe Testament waren geliefd, bijvoorbeeld de gelijkenis van de verloren zoon.

Vele geschiedenissen uit de bijbel kregen een moraliserende betekenis. De zogenoemde bijbels-humanisten, onder wie Erasmus, vonden de bijbelse verhalen even belangrijk als de hoog gewaardeerde historiën uit de klassieke oudheid. Geschiedenissen uit de bijbel en de oudheid bevatten volgens hen lessen hoe een mens goed kan leven.

Met het bijbelwoord konden vele mensen vertrouwd raken door de nieuwe, gedrukte bijbelvertalingen. Illustraties daarin maakten vele geschiedenissen aanschouwelijk en moedigden de mensen aan de tekst te lezen.

6 **Het offer van Abraham**
Meester van Frankfurt, ca. 1490-1495
Olieverf op paneel, 61,5 x 43,3 cm
Particuliere collectie

Dit schilderij toont zeer gedetailleerd het verhaal van Abraham die van God opdracht krijgt Hem zijn enige zoon te offeren. Op de voorgrond zijn de knechten te zien die met de ezel achterblijven aan de voet van de berg. Vlakbij de offerplaats gekomen vraagt Izaäk, die de lont van zijn vader heeft overgenomen: 'hier is het vuur en het hout, maar waar is het lam ten brandoffer?'. Bij de offerplaats gekomen, boeit Abraham zijn zoon. Nadat hij Izaäk op het altaar heeft doen plaats nemen, heft Abraham het zwaard om hem te doden. Maar een engel, die uit de hemel neerdaalt, verhindert Abraham Izaäk te doden. Linksboven is de ram te zien, die in de struiken vastzit.

7 **Drieluik met de ontmoeting tussen David en Abigaïl**
School van Jan van Scorel, 1520-1530
Olieverf op paneel, 116,5 x 161 cm
Rijksmuseum Het Catharijneconvent, Utrecht (RMCC s 133)
Lit.: Defoer 1991

De verstandige en vredelievende Abigaïl vormde een uitstekend voorbeeld voor vrouwen. Het is dan ook aannemelijk dat dit drieluik bedoeld was voor een vrouw of een groep vrouwen. Het gezicht van Abigaïl is geïdealiseerd, de gezichten van de vrouwen uit haar gevolg vertonen meer persoonlijke trekken en zijn dan ook wellicht portretten.

8 **Jozef vluchtend voor de vrouw van Potifar**
Pieter Coecke van Aelst, 2de kwart 16de eeuw
Olieverf op paneel, 48,5 x 84 cm
Rijksmuseum Het Catharijneconvent, Utrecht (RMCC s 21)
Lit.: Bekkers-Brooijmans 1984; over het thema: Guldener 1947

Jozef, die de verleidingskunsten van de vrouw van Potifar weerstond, diende als voorbeeld van de deugd der kuisheid. In dit schilderij hebben de omgevallen kruik en de kandelaar vermoedelijk een symbolische betekenis: de kruik zou dan verwijzen naar het vrouwelijk geslachtsorgaan terwijl de kandelaar met de kaars gezien kan worden als een fallussymbool. Op de twee medaillons boven het hemelbed zijn klassieke koppen te zien, links met de letters LUX en SUR, verwijzend naar 'Luxuria', de vrouwelijke wellust en rechts SAPI en ENC verwijzend naar 'Sapientia', de wijsheid.

9 **De geschiedenis van Ester**
Philips Galle naar Maarten van Heemskerck, 1564
Serie van 8 gravures, elk 20,5 x 25 cm
Rijksmuseum Het Catharijneconvent, Utrecht (BMH g 174)
Lit.: Hollstein VII, 39-46

In deze prentenserie heeft Heemskerck de geschiedenis van Ester uitvoerig, volgens de bijbeltekst, weergegeven. Achtereenvolgens zien we: a) de kroning van Ester door koning Ahasveros b) Esters pleegvader Mordechai hoort in de poort de samenzwering tegen Ahasveros c) Ahasveros verleent aan Haman toestemming om de joden uit te roeien d) Ester maakt zich op om voor Ahasveros te verschijnen e) Ester knielt voor Ahasveros terwijl hij haar zijn scepter aanreikt f) Ahasveros laat zich in een slapeloze nacht de annalen voorlezen g) Haman bij het bed van Ahasveros, de triomf van Mordechai h) Ahasveros en Haman bij Ester aan tafel waar Ester de boze plannen van Haman onthult, op de achtergrond wordt Haman opgehangen.

10 **Christus en de overspelige vrouw**
Maarten van Heemskerck (1498-1574)
Houtsnede, 23,5 x 19 cm
Rijksprentenkabinet, Rijksmuseum, Amsterdam (RP-OB-7880)
Lit.: Hollstein VIII, 54; over het thema: Dirkse 1983

Voorgesteld wordt hoe Christus in het zand schrijft wanneer een overspelige vrouw voor hem wordt geleid. Het thema was met name in lutherse kringen geliefd, omdat de geschiedenis de goddelijke genade illustreert. Christus vergeeft immers zonder meer de zonden van de overspelige vrouw.

11 **Judith, Ester en Suzanna,**
Afkomstig uit een serie van 20 oudtestamentische heldinnen
Johannes Collaert naar Maarten de Vos (1532-1603)
De overspelige vrouw, de bloedvloeiende vrouw en de Kananese vrouw
Afkomstig uit een serie van 15 nieuwtestamentische heldinnen
Carel de Mallery, Johannes en Adriaan Collaert naar Maarten de Vos, ca. 1600
Gravures, elk ca. 15,5 x 9 cm
Rijksmuseum Het Catharijneconvent, Utrecht (BMH g 282)

Als oudtestamentische heldinnen werden opgevoerd: Eva, Sara, Rebekka, Lea, Rachel, Tamar, Mirjam, Rahab, Debora, Jaël, de moeder van Samson, Hanna (moeder van Samuël), Ruth, Abigaïl, de wijze vrouw (uit de geschiedenis van de opstand van Seba), Sara, Judith, Ester, Suzanna en de moeder van de Makkabeeën. Als nieuwtestamentische heldinnen golden: Maria, Anna (moeder van Maria), Elizabet, de profetes Anna, de Samaritaanse vrouw, de bloedvloeiende vrouw, de Kananese vrouw, de gekromde vrouw, Marta, Maria Magdalena, Maria (moeder van Jakobus), Maria Salomé, Tabita en Lydia (de purperverkoopster).

12 **Biddende familie aan tafel (Psalm 128)**
Claes Jansz Visscher, 1609
Ets, 34,7 x 49,3 cm
Rijksprentenkabinet, Rijksmuseum, Amsterdam (RP-A-14266)
Lit.: Franits 1986, p. 42; Thiel 1987, p. 137 e.v.; Bedaux 1987, p. 159

Deze prent is een verbeelding van Psalm 128 'Welzalig ieder die de Here vreest'. De gravure geeft een tamelijk realistisch beeld van het interieur van de welgestelden omstreeks 1600. Boven de deur is een schilderij met de doop van Christus in de Jordaan te zien, boven de schouw een triptiek met in het midden de aanbidding der koningen. De drie glasruitjes rechts tonen taferelen uit het leven van Tobias.

13 **Lot en zijn dochters**
Zuidelijke Nederlanden, 16de eeuw
Albast reliëf, 34 x 20 cm
Rijksmuseum Het Catharijneconvent, Utrecht (RMCC b 105)
Lit.: Caron 1989

Op de voorgrond is te zien hoe Lot door zijn dochters dronken wordt gevoerd, op de achtergrond is de stad Sodom afgebeeld. Rechts staat de vrouw van Lot met haar gezicht naar de stad gekeerd, de helft van haar lichaam is in een zoutpilaar veranderd.

14 **Gebrandschilderd glas-in-loodraampje met de verloren zoon**
Leiden?, 16de eeuw
Diam. 24,7 cm
Collectie J. Vecht, Amsterdam
Lit.: over het thema: Haeger 1986

De geschiedenis van de verloren zoon is een van de gelijkenissen die zeer populair werden in de 16de eeuw. Op dit ruitje is een geliefde scène voorgesteld: de zoon wordt, wanneer hij zijn geld heeft verbrast, door een vrouw met een stok het bordeel uitgejaagd. Twee andere vrouwen kijken toe, een derde beziet het tafereel vanuit het venster.

15 **Gebrandschilderd glas-in-loodraampje met de bruiloft te Kana**
Zuidelijke Nederlanden, 1520-1530
Diam. 25,5 cm
Rijksmuseum, Amsterdam (RBK 1961-101)

Voorgesteld is het moment waarop het wonder zich voltrekt: terwijl een bediende de zes vaten met water vult, heft Christus zijn handen. Zijn moeder en enkele discipelen volgen vol belangstelling de handeling.

16 **Gebrandschilderd glas-in-loodraampje met het afscheid van Rebekka (Gen. 24: 62)**
Noordelijke Nederlanden, eind 15de eeuw
Diam. 22,5 cm
Rijksmuseum, Amsterdam (NM 12242)

Te zien is hoe Rebekka afscheid neemt van haar ouders; op de achtergrond is afgebeeld hoe Izaäk uitgaat in het veld en in de verte de kamelen aan ziet komen. De figuur van Rebekka, die vrijwel onmiddellijk na het aanzoek door Izaäks knecht, haar huis verliet, gold hier als voorbeeldige vrouw.

17 **Gebrandschilderd glas-in-lood-ruitje met de geschiedenis van Lot**
16de eeuw
Diam. 23 cm
Particuliere collectie
Lit.: Steinbart 1929, p.18

Op de voorgrond de biddende Lot, op de achtergrond het brandende Sodom. Links op de achtergrond de ontmoeting tussen de twee engelen en Lot, rechts op de achtergrond Lot, die door zijn dochters dronken wordt gevoerd.

18 **Haardsteen met Ester voor Ahasveros**
Antwerpen, 2de helft 16de eeuw
Roodbakkende klei, 10,5 x 14 cm
Centraal Museum, Utrecht (Hist. cat. nr. 791)

Haardstenen waren bedoeld om de achterwand van de schouw te beschermen tegen het haardvuur. Er waren allerlei bijbelse voorstellingen op te vinden. Uit de geschiedenis van Ester was met name die van de knielende Ester voor koning Ahasveros geliefd. In de 17de eeuw maakten de haardstenen plaats voor geglazuurde tegels en de ijzeren haardplaat (zie cat. nr. 50).

19 **Haardsteen met Judith en Holofernes**
Antwerpen, 2de kwart 16de eeuw
Roodbakkende klei, 15 x 11 x 5 cm
Rijksmuseum Het Catharijneconvent, Utrecht (BMH V 1141)

Wanneer Holofernes na een drinkgelag in slaap is gevallen, wordt hij door Judith onthoofd.

20 **Haardstenen met voorstellingen uit het leven van Suzanna**
Antwerpen, 2de kwart 16de eeuw
Roodbakkende klei
Rijksmuseum Het Catharijneconvent, Utrecht (BMH V 522a-b, BMH V 921)

Opvallend is het grote aantal bewaard gebleven haardstenen waarop de geschiedenis van Suzanna is afgebeeld. Te zien is hoe Suzanna wordt bespied, hoe de oudsten worden weggeleid en hoe zij worden gestenigd.

21 **Kruik met voorstellingen uit de geschiedenis van Suzanna**
Raeren, Jan Emens Mennicken, 1583
Grijs steengoed, bruin zoutglazuur, gestempelde reliëfversiering, h. 26 cm, diam. voet 9,1 cm
Museum Boymans-van Beuningen, Rotterdam (F 3110; collectie Van Beuningen-de Vriese)
Lit.: Hellebrandt 1977; Kohnemann 1982; cat. tent. Rotterdam 1991, 13

Opschrift: DIT.YS.DYE.SCHONE.HYSTORYA.VAN.SUSANNA.YNT.KORTE.UYT.GESNEEDN.anno 1583.I.E.M.
De voorstellingen op deze kruik zijn gebaseerd op prenten van Abraham de Bruyn. Behalve de geschiedenis van Suzanna, die veel voorkomt, zijn kruiken bewaard gebleven met de geschiedenis van Johannes de Doper, het kerstgebeuren en het Jozefverhaal.

22 **Messchede met oudtestamentische voorstellingen**
Gemerkt WGW, 1588
Palmhout, 21,5 x 2,6 cm
Nederlands Openluchtmuseum, Arnhem (NOM 27870)

Op deze messchede zijn allerlei bijbelse vrouwenlisten afgebeeld. Op de ene zijde zien we van boven naar onder: Eva die Adam een appel voorhoudt, Batseba die al badend de lusten van koning David (herkenbaar aan de harp) opwekt, koning Salomo die onder invloed van zijn duizend vrouwen zijn hart laat meevoeren naar andere goden en er voor neerbuigt (1 Kon. 11: 1-13), Delila die de haren van Samson afsnijdt (Ri. 16: 4-22). Op de andere zijde: Rebekka die toekijkt wanneer Izaäk Jakob zegent (Gen. 27: 1-40), Jaël die met de tentpin Sisera doorboort (Ri. 4), Ester en Judith met het hoofd van Holofernes. Opvallend is dat zowel positieve als negatieve voorbeelden worden afgebeeld.

23 **Messchede met oudtestamentische voorstellingen**
1597
Palmhout
Nederlands Openluchtmuseum, Arnhem (G 12 13-11)

Op de voorzijde zijn afgebeeld: Mozes die de koperen slang opricht (Num. 21: 4-9), de zalving van David, Daniël die in de leeuwenkuil gevoed wordt door de profeet Habakuk (Dan. 14: 34-39, apocrief), David en Goliat. Op de achterzijde: de schepping van Eva, Adam en Eva, de verdrijving uit het paradijs, de broedermoord. Op de zijkant: Judith met het hoofd van Holofernes, het offer van Abraham, David en Batseba, en op de andere zijkant: Samson, de verspieders, koning David met de harp.

24 **Schoenlepel met de geschiedenis van de verloren zoon**
1578
Hoorn, l. 23 cm
Rijksmuseum, Amsterdam (NM 3134)
Lit.: cat. tent. Amsterdam 1986, 335

Diverse taferelen zijn op deze schoenlepel gegraveerd, waarbij geen logische volgorde is aangehouden. In de grootste voorstelling links zijn drie scènes verwerkt: links ziet men de verloren zoon in een bordeel een vrouw betasten, op de achtergrond rechts wordt hij het bordeel uitgejaagd, terwijl geheel links te zien is hoe hij bij de varkens terecht is gekomen. De drie kleinere taferelen tonen van links naar rechts: de uitbetaling van het erfdeel door de vader, de terugkeer van de verloren zoon en het slachten van het vetgemeste kalf.

25 **Laarzenknecht met de geschiedenis van de verloren zoon**
1597
Hoorn, l. 56 cm
Rijksmuseum, Amsterdam (NM 29680)
Lit.: cat. tent. Amsterdam 1986, 335

Van onder naar boven zijn de volgende taferelen uitgebeeld: de verloren zoon verlaat zijn vader, verbrast zijn geld, wordt uit het bordeel gejaagd, zit bij de varkens, valt geknield voor zijn vader neer, en tenslotte het slachten van het gemeste kalf.

26 **Tegeltableau met de terugkeer van de verloren zoon**
Gemonogrammeerd HBV of HVB, toegeschreven aan Hans Barnaert Vierleger, Haarlem 1606
Aardewerk, 39,5 x 39,7 cm
Rijksmuseum, Amsterdam (NM 1241 1a)
Lit.: Korf 1971; over het thema verloren zoon: Haeger 1986

In een rijk cartouche is weergegeven hoe de vader zijn zoon, die teruggekeerd is en nu voor hem knielt, omhelst. Op de achtergrond kijken twee mensen toe.

27 **Den Bibel met grooter neersticheyt gecorrigeert ende op die canten gheset den ouderdom der werelt ende hoe lange die gheschiedenissen ende historien der Bibelen elck int zijn...**
Antwerpen, Jacob van Liesveldt, 1534
2° (29 x 19 cm)
Rijksmuseum Het Catharijneconvent, Utrecht (ABM pi 120)
Lit.: Nijhoff/Kronenberg, 1, 406; Poortman 1983-1986, 1, p. 81-85

De Liesveldtbijbel (eerste druk 1526) is de eerste volledige bijbel in de volkstaal en tevens de eerste rijk geïllustreerde bijbel in ons land. De tekst is gedeeltelijk gebaseerd op de vertaling van Luther en werd al spoedig gewaardeerd onder de hervormingsgezinden. De illustraties zijn ontleend aan de Lutherprenten van Lucas Cranach maar zijn door een onbekende houtsnijder vanaf de prent nagesneden. Cranach had zijn ontwerpen ontleend aan de grote houtsneden van Albrecht Dürer.

28 **Den Bibel, Tgeheele Oude en Nievve Testament met grooter naersticheyt naden Latijnschen text gecorrigeert...**
Antwerpen, Willem Vorsterman, 1528
2° (34 x 24 cm)
Rijksmuseum Het Catharijneconvent, Utrecht (ABM pi 39)
Lit.: Nijhoff/Kronenberg, 1, 392; Poortman 1983-1986, 1, p. 92-93

De tekst van de Vorstermanbijbel (1528), die werd gelezen door zowel hervormingsgezinden als katholieken, is een compilatie van de Liesveldtbijbel, de Delftse bijbel van 1477 en enkele Vulgata uitgaven. De vertaling kwam in 1546 op de lijst van verboden boeken te staan. De Vorstermanbijbel bevat meer illustraties dan de Liesveldtbijbel. De prenten in ons exemplaar zijn met de hand ingekleurd. De houtsneden zijn merendeels van de hand van Jan Swart van Groningen (1500-1553) en van een anonieme meester. Een vijftal prenten wordt aan Lucas van Leyden (1494-1533) toegeschreven.

III Bijbelverhalen in huis

Verhalen uit de bijbel werden door schilders als Rembrandt en zijn leerlingen in beeld gebracht. Thema's, geliefd in de schilderkunst, trof men echter ook aan op allerlei huisraad. Vaak bestond er dan een verband tussen voorstelling en voorwerp.

Het verhaal van de kuise Suzanna genoot bijvoorbeeld een bijzondere voorkeur ter decoratie van de beeldenkasten, die dienden tot berging van het linnengoed. Een andere voorbeeldige vrouw, de fiere koningin Ester, was te vinden op een haardplaat. De vluchtende Jozef sierde voorwerpen die betrekking hebben op het reine huwelijk. De populaire Tobias, biddend voor zijn echtelijk bed, werd afgebeeld op een huwelijksmes. Zo omringde de welvarende en bijbelvaste Hollander zich in de eerste helft van de 17de eeuw met bijbelse voorbeelden op huisraad van hoge kwaliteit.

29 **Zoutvat met bijbelse en mythologische voorstellingen**
Ca. 1600
Verguld zilver, h. 10 cm, diam. 11 cm
Collectie Beeling, Leeuwarden

Vier bijbelse taferelen die de geschiedenis van Lot behandelen zijn, geheel in de humanistische traditie, afgebeeld naast de mythologische figuren Zeus, Pallas Athene, Diana en Apollo. Te zien zijn de taferelen: Lot biedt gastvrijheid aan de twee engelen (Gen. 19: 2), de mannen van Sodom worden met blindheid geslagen (Gen. 10: 11), Lot en zijn dochters vluchten uit Sodom met links op de achtergrond de vrouw van Lot, en de dochters van Lot verleiden hun vader. Opvallend is de keuze van dit thema voor de decoratie van een zoutvat: de vrouw van Lot veranderde immers in een zoutpilaar.

30 **Tazza met het bezoek van de drie engelen aan Abraham**
Willem van Wolfswinkel, Amsterdam 1611?
Zilver, diam. 19 cm
Dutch Renaissance Art collectie (DRA 1984-29)

Voorgesteld is het moment waarop Abraham opnieuw een zoon wordt beloofd. Terwijl hij de engelen op een maaltijd onthaalt, spreekt Jaweh, in de gedaante van een engel, dat Abraham over een jaar een zoon bij Sara zal hebben. Sara, rechts op de achtergrond, hoort deze voorspelling en lacht.

31 **Boekband met voorstellingen uit het Oude en Nieuwe Testament**
Haarlem, 1627
Zilver, 12,7 x 7,9 cm
Collectie A. Aardewerk, 's-Gravenhage
Lit.: Frederiks II, 195; Hayward 1952

Tussen de vijf ribben op de rug zijn voorgesteld: de schepping en verjaging van Adam en Eva, de broedermoord, de kinderen van Kaïn? (Gen. 4: 17-26) en de zondvloed (Gen. 6: 5-9, Gen. 7). De vijf medaillons op het voorblad tonen andere oudtestamentische scènes: Noach brengt een offer op de berg Ararat (Gen. 8: 20), het offer van Abraham, Mozes scheidt de wateren van de Rode Zee (Ex. 14: 21-22), het Egyptische leger verdrinkt (Ex. 14: 23-28), Lot en zijn dochters vluchten uit Sodom(?). Het rugblad is gegraveerd met nieuwtestamentische voorstellingen: de aankondiging van Christus' geboorte, de aanbidding van de herders, Christus in de tempel, Christus' opstanding, het laatste oordeel.

96 Tazza met het bezoek van de drie engelen aan Abraham (cat. nr. 30)

97 Zilveren boekband met oud- en nieuwtestamentische taferelen (cat. nr. 31)

32 **Twee schaalbodems met de geschiedenis van Tobit**
Utrecht, begin 17de eeuw
Zilver, diam. 12,7 cm
Rijksmuseum, Amsterdam (RBK 16504, 16505)
Lit.: cat. Amsterdam 1952 (1), 426 a,b

a Drie taferelen uit de geschiedenis van Tobit zijn hier samengebracht. Links ziet men de feestmaaltijd, aangericht ter ere van Tobit, waar de jonge Tobias aan zijn vader het bericht brengt van de dood van een volksgenoot. Rechts ligt Tobit te slapen naast zijn woning (die hij niet kon betreden omdat hij na de begrafenis onrein was). Boven zijn hoofd bevindt zich het nestje van de musjes waarvan de drek zijn blindheid zou veroorzaken. Tenslotte is op de achtergrond te zien hoe Tobits vrouw Anna een bokje mee naar huis brengt.
b Op de voorgrond Tobias die onder geleide van de rechts van hem gaande engel een tocht onderneemt in opdracht van zijn vader. Over zijn schouder draagt hij de vis die de duivels zal verjagen n zijn vader genezing zal brengen. Links op de achtergrond vangt Tobit de vis op aanwijzing van de engel.

33 **Huwelijksmes**
Amsterdam?, begin 17de eeuw
Zilver, l. 21,8 cm (heft 8,3 cm)
Collectie Haags Gemeentemuseum, 's-Gravenhage (EM 5-zj)
Lit.: Wttewaall 1987, p. 160

Aan de ene zijde een voorstelling van de biddende Tobias en Sara voor hun huwelijksbed, aan de andere zijde Suzanna bespied door de oudsten. De beide voorstellingen doen vermoeden dat dit mes ter gelegenheid van een huwelijk werd vervaardigd. Ook de afbeeldingen onder de bekroning wijzen daarop, namelijk een Amor en een huwelijksaltaar.

34 **Knottekistje**
Hoorn, midden 17de eeuw
Zilver, gedeeltelijk verguld, 7,5 x 9 x 5 cm
Rijksmuseum, Amsterdam (NM 3083)
Lit.: Guldener 1947, p. 10; cat. Amsterdam 1952 (1), 134; Boschma 1969, p. 562

Een knottekistje, ook wel trouwkoffertje genoemd, overhandigde de welgestelde vrijer in Noord-Holland en Friesland aan zijn toekomstige vrouw. Met name in Noord-Holland waren deze gedecoreerd met bijbelse exempla. Op dit knottekistje zijn de vier voorstellingen voorzien van toepasselijke bovenschriften. Op de voorzijde Suzanna bespied door de oudsten (bovenschrift 'Susanae's Kuysheit stralen geeft, Soo wert een Reyne echt beleeft'). Op de achterzijde de bruiloft te Kana (bovenschrift 'Geluckich moet de bruyloft sijn, daar Christus maeckt van water wijn'). Op de zijkanten Jozef vluchtend voor de vrouw van Potifar (bovenschrift 'Joseph is hier de Jeucht, Een spiegel tot de deucht') en Batseba bespied door koning David (bovenschrift 'Als 't oogh het hert verleyt, wort dick te laet beschreyt').

35 **Borstelrug met de redding van Mozes**
Sigismund Zschammer, Amsterdam 1678
Zilver, 9 x 19 cm
Dutch Renaissance Art collectie (DRA 1981-8)

Voorgesteld is het moment waarop de slavin Mozes toont aan de dochter van de farao. Op de achtergrond rechts slaat de zuster van Mozes het toneel gade.

36 **Tapisserie met de bruiloft te Kana**
1e helft 17de eeuw
Wol en zijde, 85 x 65 cm
Particuliere collectie
Lit.: cat. tent. Apeldoorn 1989, p. 87 e.v.

Christus zelf was aanwezig bij een huwelijkssluiting en daarmee bevestigde hij als het ware de heiligheid van het huwelijk. Afbeeldingen van de bruiloft te Kana komen dan ook veel voor in de huiselijk sfeer. Deze voorstelling gaat terug op een 16de-eeuws ontwerp van Barent van Orley.

37 **Tapisserie met diverse oudtestamentische voorstellingen**
Delft?, 17de eeuw
Wol, 270 x 212 cm
Dutch Renaissance Art collectie (DRA 1987-23)

De voorstellingen betreffen Abraham en de drie engelen (in het midden), de wegzending van Hagar en Ismaël, de ontmoeting tussen Rebekka en Eliëzer, het offer van Abraham en een (nog) onbekende voorstelling van een man en een vrouw voor een tronende man (Suzanna en haar man Joakim voor de rechter?).

38 **Twee kussens met taferelen uit het leven van Christus**
Delft of Gouda, ca. 1650
Wol en zijde, 63 x 56 cm
Dutch Renaissance Art collectie (DRA 1991-19 a,b)

a de voetwassing door Christus
b Christus verdrijft de wisselaars uit de tempel (Joh. 2: 13-25).

39 **Schoorsteenval met oudtestamentische voorstellingen**
17de eeuw
Laken, geborduurd, 20 x 167 cm
Rijksmuseum Het Catharijneconvent, Utrecht (BMH t 13)

Van links naar rechts zijn afgebeeld: Tobias en de engel, het offer van Abraham, Abraham en Izaäk op weg om te offeren, Abraham en de drie engelen, de wegzending van Hagar, de zalving van David.

40 **Tapisserie met Christus en de Samaritaanse vrouw**
Delft?, 17de eeuw
Wol, 247 x 201 cm
Dutch Renaissance Art collectie (DRA 1987-22)

Christus, gezeten bij de bron van Jakob, spreekt met de Samaritaanse vrouw. Links op de achtergrond is de stad Sichar te zien, vanwaaruit enkele mensen (zijn discipelen?) wandelen.

41 **Servet met Christus en de Samaritaanse vrouw**
Kortrijk of Haarlem, 17de eeuw
Damast, 102 x 70 cm
Rijksmuseum Het Catharijneconvent, Utrecht (SPKK t 1)
Lit.: Ysselsteyn 1962, 136; cat. Kortrijk 1986, 20, 21

Dit servet behoort samen met andere exemplaren bij een damasten tafelkleed. Op deze damasten tafelkleden werden allerlei bijbelse taferelen afgebeeld. Van de voorstelling Christus en de Samaritaanse vrouw zijn meerdere exemplaren bewaard gebleven. Op de servetten is alleen deze voorstelling, met onderschrift JOAN IIII, te zien. Het tafelkleed toont bovendien nog de stad Sichar en twee discipelen die een mand met broden dragen, omdat zij, volgens het bijbelverhaal, voedsel zijn gaan kopen.

42 **Klapstoeltje**
17de eeuw
Eikehout, 75,5 x 37 x 45 cm
Particuliere collectie

Op de leuning een voorstelling van Christus en de Samaritaanse vrouw, rechts van Christus de vijf wijze maagden. Stoeltjes als deze werden in de 17de eeuw door de vrouwen gebruikt tijdens de kerkgang. Ze konden worden ingeklapt en makkelijk worden meegenomen.

43 **Beeldenkast met de geschiedenis van Suzanna**
Ca. 1650
Eikehout, 207 x 185 x 73 cm
Particuliere collectie
Lit.: cat. Amsterdam 1952 (2); Lunsingh Scheurleer 1961, p. 46

Op de zes panelen de volgende voorstellingen: a) Suzanna bespied door de oudsten b) Suzanna wordt beschuldigd van overspel c) Suzanna wordt weggeleid, Daniël komt naar voren en spreekt d) de oudsten worden elk apart verhoord e) de oudsten worden gestenigd f) Suzanna en haar verwanten danken God. De beelden of kariatiden aan de bovenzijde stellen van links naar rechts voor: het Geloof (met kruis en boek), de Liefde (met twee kinderen) en de Hoop (met duif en anker). De beelden daaronder betreffen van links naar rechts: David met het hoofd van Goliat, de Gerechtigheid (met zwaard en weegschaal) en Judith met het hoofd van Holofernes. Op de schachtvoeten zijn van links naar rechts te zien: Lot en zijn dochters, het offer van Abraham en Salome met het hoofd van Johannes de Doper. De reliëfs op de panelen gaan terug op composities van Maarten van Heemskerck.

44 **Kist met de geschiedenis van Johannes de Doper**
Ca. 1650
Eikehout, 78,5 x 159 x 61 cm
Particuliere collectie

Op de linkerzijkant de aankondiging van de geboorte van Johannes aan de priester Zacharias (Luc 1: 5-25), op de voorkant links de prediking van Johannes de Doper (Luc 3: 1-20), op de voorkant rechts de dochter van Herodes dansend voor de gasten van haar vader en op de rechterzijkant Salome met het hoofd van Johannes de Doper. De drie beelden stellen de drie goddelijke deugden voor, van links naar rechts: Geloof (met palmtak en boek), Liefde (met twee kinderen) en Hoop (met anker en duif).

45 **Blaasbalg met de geboorte van Christus**
17de eeuw
Eikehout, 70 x 26 x 7 cm
Particuliere collectie

Het onderschrift luidt 'De Gebordt'.

46 **Stoof met voorstellingen uit de geschiedenis van Saul**
17de eeuw
Eikehout, 21 x 16,5 x 20,5 cm
Dutch Renaissance Art collectie (DRA 1987-279)

Afgebeeld zijn de volgende taferelen: a) Saul gaat op weg om de ezelinnen van zijn vader te zoeken b) Saul ontmoet Samuël c) Samuël zalft Saul tot koning over Israël d) Saul wordt, na de roof op de Amalekieten, bestraft door Samuël (1 Sam. 15: 19). De voorstellingen zijn gebaseerd op de kleine prenten van Schut, zie cat. nr. 85.

47 **Doosje**
Gedateerd 1656
Palmhout, 13 x 7,5 x 2,5 cm
Particuliere collectie

Aan de ene zijde Adam en Eva met daarboven de ark van Noach, aan de andere zijde de broedermoord, daarboven dieren uit de ark.

48 **Kastje met de droom van Jakob**
Friesland, 17de eeuw
Eikehout, 54 x 51 x 19,5 cm
Particuliere collectie

Van de overgang van gebeeldhouwde meubels naar beschilderd meubilair is weinig bekend. Triebels (1961, p. 288) veronderstelt dat er een tussenperiode heeft bestaan, waarbij gebeeldhouwde meubels beschilderd werden. Dit kastje zou daarvan een voorbeeld zijn.

49 **Beddepan met Adam en Eva**
Nederland, 1625
Koper, l. 106 cm, diam. bak 25 cm
Rijksmuseum, Amsterdam (NM 2446)
Lit.: cat. Amsterdam 1986, 387; cat. tent. Apeldoorn 1989, p. 85 e.v.

Het eerste mensenpaar, Adam en Eva, wordt afgebeeld staande bij de boom der kennis van goed en kwaad, waaromheen de listige slang zich kronkelt. Het randschrift luidt 'Is Godt met ons wie can tegen ons 1625'.

50 **Haardplaat met Ester voor Ahasveros**
17de eeuw
Gietijzer, 72 x 49 cm
Rijksmuseum, Amsterdam (BFR 309)

Uit de geschiedenis van Ester is met name deze scène, Ester die knielt voor koning Ahasveros, zeer geliefd. Links op de achtergrond is te zien hoe Haman opgehangen wordt. De gietijzeren haardplaat was de opvolger van de 16de-eeuwse haardstenen.

51 **Mesheft met Jonas**
17de eeuw
Ivoor, 9,4 cm
Rijksmuseum Het Catharijneconvent, Utrecht (ABM bi 775)

Uit de muil van de walvis steekt de figuur van Jonas.

52 **Lepel met de verspieders**
Amsterdam, 17de eeuw
Tin, l. 17,5 cm
Museum Boymans-van Beuningen, Rotterdam (F 6183; collectie Van Beuningen-de Vriese)
Lit.: cat. Rotterdam 1991, p. 203

De twee verspieders, Jozua en Kaleb, zijn herkenbaar aan de druiventros die zij tezamen dragen. De verspieders op de bak van deze lepel zijn gekleed in eigentijdse, 17de-eeuwse kleding.

53 **Schotel met Hagar in de woestijn (Gen. 21: 14-21)**
Delft, 1650
Aardewerk, diam. 33,7 cm
Museum Het Princessehof/Nederlands Keramiekmuseum, Leeuwarden (GMP 1981-45)
Lit.: Dam 1982, p. 65

De engel Gods vertroost Hagar als zij in de woestijn terneer ligt. Ismaël is, in tegenstelling tot wat het bijbelverhaal zegt, als een zeer klein kind afgebeeld.

54 **Twee schotels**
Delft, ca. 1660
Aardewerk, diam. 25 cm
Rijksmuseum, Amsterdam (NM 12400- 36, 39)

a de opwekking van Lazarus (Joh. 11: 1-44)
b de bekering van Paulus (Hand. 9: 1-19a)
Lazarus wordt opgewekt temidden van een groot aantal omstanders, die verbaasd en ontzet hun handen omhoog heffen. Hoewel het bijbelverhaal spreekt over een spelonk, vindt de opwekking hier in een landschap plaats. De bekering van Paulus wordt dramatisch in beeld gebracht door verschrikte en vallende mensen en paarden. Deze schotels maken deel uit van een serie die het optreden van Christus en de handelingen der apostelen tot onderwerp hebben.

55 **Schotel met het oordeel van Salomo**
Delft, 1645
Aardewerk, diam. 24,5 cm
Museum Boymans-van Beuningen, Rotterdam (A 3364)

Een vrouw knielt voor de hoge troon van koning Salomo. Links staat een dienaar gereed om het levende kind te doden.

56 **Schotel met Jakob ontmoet Rachel bij de bron (Gen. 29: 1-30)**
2de helft 17de eeuw
Fayence, 22 x 22,5 cm
Museum Boymans-van Beuningen, Rotterdam (A 4325b)

Bovenschrift: 'Gen 29: 9'. Het onderschrift luidt vrij vertaald: En zie, toen Rachel met de schapen van haar vader kwam, verwijderde Jakob de steen waarmee de put was afgesloten.

57 **Vuurstolp met David en Goliat**
Gedateerd 1610
Roodbakkende klei, gele slibversiering, 42 x 24 cm
Gemeentelijk Museum Het Markiezenhof, Bergen op Zoom (in bruikleen van de Stichting In den Scherminckel)

De kleine David en de grote Goliat werden afgebeeld op een vuurstolp, bedoeld om 's nachts het smeulende vuur af te dekken ter voorkoming van brandgevaar.

58 **Borden met diverse bijbelse voorstellingen**
17de eeuw
Aardewerk
Collectie E. van Drecht, Amsterdam

Deze borden zijn afkomstig uit opgravingen. Het zijn schotels die, hoewel eenvoudig in uitvoering, toch met name dienden als sieraardewerk. De achthoekige vorm van enkele schotels wijst daar ook op: deze vorm was oorspronkelijk afkomstig van zilveren puntschotels. De aardewerk schotels met hun blauw-witte beschildering vormden hiervoor een goedkoper alternatief. De borden tonen de volgende geschiedenissen:
a de broedermoord
b de vertroosting van Hagar in de woestijn
c zelfde voorstelling als b
d Jakobs worsteling met de engel
e Jozef en de vrouw van Potifar
f Juda en Tamar
g Tobias en de engel
h de vlucht naar Egypte
i Christus en de Samaritaanse vrouw
j Christus en de Kananese vrouw
k de tempelreiniging

59 **Tegeltableau met vier tegels**
1650-1700
Aardewerk, 25,1 x 25,2 cm
Het Nederlands Tegelmuseum, Otterlo (2544)
Lit.: Jonge 1971, p. 50-53; over bijbeltegels: Pluis 1967

a Tobit wordt blind
b Mozes voor de brandende braambos (Ex. 3-4: 17)
c de vertroosting van Hagar
d Tobias op weg met de engel
Bijbeltegeltjes werden met name in de 18de eeuw populair. Dit zijn vroege exemplaren.

60 **Vijf tegels**
Rotterdam, 1665-1675
Aardewerk, elk ca. 12,8 x 12,8 cm
Rijksmuseum Het Catharijneconvent, Utrecht (STCC V 79, a, b, d, e, f)
Lit.: Vis/de Geus 1926, afb. 81

a David en Goliat
b de ontmoeting tussen David en Abigaïl
d Suzanna en de oudsten
e Salome met het hoofd van Johannes de Doper
f de bespotting van Christus

61 **Twee tegels**
Rotterdam, 2de helft 17de eeuw
Aardewerk, 12,9 x 13,1 en 12,8 x 12,8 cm
Het Nederlands Tegelmuseum, Otterlo (3049, 3051)

a de opwekking van Lazarus (Joh. 11: 1-44)
b Bileam en de ezel (Num. 22: 2-35)

62 **Tegel met Juda en Tamar**
Midden 17de eeuw
Aardewerk, 12 x 12 cm
Particuliere collectie

Wanneer Juda zijn verplichtingen ten aanzien van het Leviraatshuwelijk niet nakomt, vermomt zijn schoondochter Tamar zich als publieke vrouw. Zij bedekt haar gezicht met een sluier, die op deze tegel als een soort blinddoek fungeert.

63 **Pijp met Jonas met de walvis**
1630-1640
Pijpaarde, l. 27 cm
Pijpenkabinet, Leiden (11103)
Lit.: Duco 1987, p. 91

De geschiedenis van Jonas, die gered werd door een walvis, zal vooral zeevarenden hebben aangesproken. Er is een grote hoeveelheid pijpen met deze voorstelling bewaard gebleven.

IV Bijbel en prent

Bijbelse voorstellingen op huisraad waren vaak gebaseerd op prenten. De relatief goedkope prenten werden sedert de 16de eeuw in groten getale verspreid. Ze werden in huis opgehangen of in prentenboeken bijeengebonden. Ze konden ook worden ingevoegd in complete bijbelvertalingen, zoals in edities van de

Statenbijbel. Bijzonder populair werden in de 17de en 18de eeuw prentbijbels, waarin de bijbelse geschiedenissen te zien waren, soms met een kort moraliserend onderschrift.

Ambachtslieden gebruikten in de 17de, maar vooral ook in de 18de eeuw deze prentbijbels. Zij versierden allerlei voorwerpen met bijbelse voorstellingen. Met name de prenten van Pieter Schut werden veel nagevolgd.

64 **Christus voor Pilatus**
De bespotting van Christus
H. Goltzius (1558-1617), 1596-1598
Gravures, elk 20 x 13,3 cm
Rijksmuseum Het Catharijneconvent, Utrecht (RMCC g 385)

De beide voorstellingen zijn afkomstig uit een serie van 12 prenten over het lijden van Christus. Deze prenten werden ook bijgebonden in Statenbijbels (zie cat. nr. 82) en werden nageschilderd door plateelschilders (zie cat. nr. 72).

65 **Het offer van Abraham**
Egbert van Panderen naar Petrus de Jode (1570-1634)
Gravure, 27,8 x 20,5 cm
Rijksprentenkabinet, Rijksmuseum, Amsterdam (RP-A-14342)

Wanneer Abraham het zwaard heft om zijn zoon te doden, wordt hij hiervan weerhouden door een engel. Links op de voorgrond de ram, die met zijn hoorns in de struiken vastzit. De compositie op deze prent had invloed op cat. nr. 68, 69, 70 en 71.

66 **De opdracht in de tempel**
Paulus Pontius naar Peter Paul Rubens (Antwerpen), 1638
Gravure, 64,3 x 49,9 cm
Rijksmuseum Het Catharijneconvent, Utrecht (BMH g 933)

De gravure geeft spiegelbeeldig het rechterzijluik weer van het altaar met de kruisafneming in de kathedraal van Antwerpen. Naar de gravure werd een Amelander tafelblad beschilderd (zie cat. nr. 76).

67 **Beker met drie oudtestamentische voorstellingen**
2de helft 17de eeuw
Zilver, gedeeltelijk verguld, h. 20,5 cm, diam. (boven) 13,4 cm, (onder) 10,2 cm
Museum Boymans-van Beuningen, Rotterdam (MBZ 212)

Voorgesteld zijn drie strijdtaferelen met onderschriften: 'Israel verwint Amalek soo langh Moses de handen op hieff' (Ex. 17: 8-13), 'Jephta verbint hem aen Godt met belofte, slaet Ammon en wint 20 steden' (Ri. 11: 30-34) en 'Judas Machabeus verslaet Apollonius den Hooftman, en een grooten hoop Vijanden met hem' (1 Mak. 3). De voorstellingen zijn gegraveerd naar de kleine prenten van Schut (cat. nr. 85), waarbij de zilversmid zelfs het nummer van de prent overnam.

68 **Paneel met het offer van Abraham**
17de eeuw
Olieverf op paneel, 68 x 49 cm
Rijksmuseum Het Catharijneconvent, Utrecht (BMH s 1469)

Als voorbeeld diende voor dit paneel de gravure cat. nr. 65.

69 **Schotel met het offer van Abraham**
Haarlem?, ca. 1650
Aardewerk, diam. 39,5 cm
Rijksmuseum, Amsterdam (RBK 1958-33)
Lit.: Dam 1982, p. 67

Als voorbeeld voor de decoratie gebruikte de plateelschilder een gravure, zie cat. nr. 65. Terwijl op de gravure de voorstelling echter is geplaatst in een bergachtige omgeving, vindt de handeling op het bord plaats in een vrij vlakke omgeving, waarbij rechts op de achtergrond enkele gebouwen werden toegevoegd.

70 **Gevelsteen met het offer van Abraham**
1627
Zandsteen,
Westfries Museum, Hoorn
Lit.: Korf 1967, p. 62 e.v.

Ook deze gevelsteen is geïnspireerd op de gravure, cat. nr. 65, waarbij de ram i.p.v. links, rechts is geplaatst. Deze gevelsteen komt uit een gesloopt pand te Hoorn en was gecombineerd met een gevelsteen met Adam en Eva en een steen met het jaartal 1627.

71 **Borduurlap met o.a. het offer van Abraham**
Noord-Holland, 3de kwart 17de eeuw
Zijdegaren op gekeperd katoen, 32 x 43 cm
Zaanlandse Oudheidkamer, Zaandijk (3134)
Lit.: Schipper-van Lottum 1980, p. 72

Op deze borduurlap zijn twee bijbelse motieven te herkennen: de verspieders (hier in eigentijdse kleding) met de tros druiven en een afbeelding van het offer van Abraham. De compositie van deze voorstelling gaat terug op een voorbeeld, zoals cat. nr. 65

72 **Drie schotels met voorstellingen uit het lijden van Christus**
17de eeuw
Diam. 25,5 cm
Rijksmuseum, Amsterdam (NM 12400- 62, 63, 66)

a Christus in de hof van Getsemane, waar een van zijn discipelen het oor van een slaaf afslaat
b Christus voor Pilatus
c de bespotting van Christus.
De schotels zijn onderdeel van een serie over het lijden van Christus. De voorstellingen zijn gebaseerd op de prenten van H. Goltzius, cat. nr. 64.

73 **Schotel met Christus en de Kananese vrouw**
Delft, 18de eeuw
Aardewerk, diam. 35 cm
Kunst- en Antiekgalerie 'Het Loo', Apeldoorn

Onderschrift 'Math. 15 vs 22'. De plateelschilder gebruikte als voorbeeld de kleine prenten van Schut, die in 1739 opnieuw werden uitgegeven, cat. nr. 86.

74 **Tabaksdoos met Christus en de Kananese vrouw**
18de eeuw
Koper, 9 x 15 x 3 cm
Fries Museum, Leeuwarden (964 N)

Terzijde van de voorstelling staat de tekst 'De Cananeesche vrouwe biddet Christo, die haer beseten dochter gesont maekt, Math. 15 vers 22'. Deze tekst is, evenals de voorstelling, gegraveerd naar de kleine prenten van Schut, cat. nr. 86.

75 **Hakkebord met Christus en de overspelige vrouw**
18de eeuw
Eikehout, 60 x 73 x 24 cm
Fries Scheepvaart Museum, Sneek (J-125)

Op een hakkebord, de bovenzijde van de spiegel van een schip, konden allerlei bijbelse voorstellingen zijn afgebeeld. De voorstelling Christus en de overspelige vrouw moet bijzonder geliefd zijn geweest, want er zijn meerdere exemplaren van bewaard gebleven. Dit exemplaar is nauwkeurig en gedetailleerd gesneden naar de grote prenten van Schut, zoals ze voorkomen in cat. nr. 84.

76 **Amelander tafelblad met de opdracht in de tempel**
18de eeuw
Vurehout, 100,5 x 79,5 cm
Rijksmuseum Het Zuiderzeemuseum, Enkhuizen (ZZM 1965-7895)
Lit.: Kruissink 1970 (1), p. 9 e.v.

De voorstelling geeft weer hoe Simeon het kind Jezus in zijn armen neemt en het zegent, terwijl Maria, Jozef, de oude Anna en een aantal omstanders toekijken. De schildering is naar een prent van Paulus Pontius naar Peter Paul Rubens (zie cat. nr. 66).

77 **Amelander hoekspinde met de verkondiging aan de herders (Luk. 2: 8-20)**
18de eeuw
Grenehout, 131 x 56 x 31 cm
Rijksmuseum Het Catharijneconvent, Utrecht (RMCC V 3; bruikleen van het Fries Museum)
Lit.: Kruissink 1970 (1), p. 13

De voorstelling gaat terug op een prent van Joseph Mulder naar ontwerp van A. Houbraken, die voor het eerst werd gepubliceerd in de *Taferelen der voornaamste Geschiedenissen*, 1728, cat. nr. 93.

78 **Wieg**
Hindeloopen, 18de eeuw
Hout
Nederlands Openluchtmuseum, Arnhem (NOM 6985-47)

Op deze wieg is met name de geschiedenis van David geschilderd. Op het hoofdeinde de ontmoeting tussen David en Abigaïl. Op de zijkanten o.a.: David die Saul de slip van zijn mantel toont (1 Sam. 24 : 1-23), de mannaregen (Ex. 16: 1-36) en koning Amalek geeft Abraham zijn vrouw Sara terug (Gen. 20: 1-18). De voorstellingen zijn zeer vereenvoudigd geschilderd naar prenten, die voor een deel te vinden zijn in het werk van Flavius Josephus, cat. nr. 99.

79 **Tegel met Jonas, vluchtend voor het bevel van God naar Ninevé te gaan**
Rotterdam, 1665-1675
Aardewerk, 12,7 x 12,7 cm
Rijksmuseum Het Catharijneconvent, Utrecht (STCC V 79C)

De schildering op de tegel gaat terug op een prent van C. Visscher naar H. Wierix, die opgenomen was in de *Grooten figuer-bibel*, cat. nr. 87. Opvallend is dat op de tegel de naam van Jahweh vervangen is door de voorstelling van een engel.

80 **Tegel met Jonas, vluchtend voor het bevel van God naar Ninevé te gaan**
2de helft 18de eeuw
Aardewerk, 12,8 x 12,8 cm
Museum Het Princessehof/Nederlands Keramiekmuseum, Leeuwarden (NO 8943)

Ook deze 18de-eeuwse tegel toont nog de invloed van het oorspronkelijke prentvoorbeeld, cat. nr. 87.

81 **Biblia Sacra dat is de geheele heylighe schriftvre bedeylt int Ovt en Nievw Testament oversien en verbetert na den lesten roomschen text. Verciert... door Christoffel van Sichem.**
Antwerpen, Jan van Moerentorf, herdrukt bij Pieter Iacopsz Paets, 1657
2° (34 x 22,5 cm)
Rijksmuseum Het Catharijneconvent, Utrecht (ABM 32 E 7)
Lit.: Poortman 1983-1986, 2, p. 92-97

De Moerentorfbijbel werd de standaardbijbel voor de roomskatholieken en is zeer vaak herdrukt, soms met de prenten van Beham, soms zonder. De nadruk uit 1657 met 1200 houtsneden van Christoffel van Sichem II (1582-1658) is de meest bijzondere. Van Sichem werkte naar diverse meesters, zoals Albrecht Dürer, Maarten van Heemskerck, Hiëronymus Wierix, Hendrik Goltzius e.a., maar creëerde ook eigen series. Verspreid over het boek zijn de vaak devotionele, didactische houtsneden zeer verschillend in karakter, stijl en kwaliteit.

82 **Biblia dat is de gantsche H. Schrifture, vervattende alle de Canonycke Boeken des Oude en des Nieuwen Testaments...**
Amsterdam, Wed. J. van Someren, e.a., 1684 (2 dln.)
2° (26 x 22 cm)
Rijksmuseum Het Catharijneconvent, Utrecht (RMCC od 21)
Lit.: Poortman 1983-1986, 1, p. 238; Koers 1985, p. 5-6

Deze Statenbijbel is een voorbeeld van een ongeïllustreerde bijbeltekst met ingevoegde prenten. Het boek bestaat uit twee delen en bevat meer dan 150 ingevoegde prenten, stuk voor stuk zeer fraai ingekleurd. Er zijn gravures van bijbelse geschiedenissen, kaarten en wetenschappelijke afbeeldingen van Nicolaas Visser, van Hendrik Goltzius, maar ook van Jacob Matham en anderen. De prachtige ingekleurde afbeelding van de gevangenneming van Christus en het verraad van Judas van Hendrik Goltzius (1558-1617), is een onderdeel van een reeks van 12 passieprenten die als losse serie op de markt is gebracht (cat. nr. 64) en als voorbeeld heeft gediend voor andere kunstenaars (cat. nr. 72).

83 **Icones Biblicae praecipuas sacrae Scripturae Historias eleganter et graphice representantes... Biblische Figuren... Figures de la Bible... Bybel printen... Figgers of the Bible...**
Amsterdam, Cornelis Danckerts, 1648, 4° obl.
Bibliotheca Thysiana, Leiden
Lit.: Poortman 1983-1986, 2, p. 60-63; cat. tent. Leiden 1990, 5

Deze prentbijbel is de eerste uitgave die Cornelis Danckerts maakte naar de prenten van Mattheus Merian van Basel (1621-1687). Merians prenten hebben in de 17de en 18de eeuw een grote invloed gehad. Danckerts heeft Merians prenten nagegraveerd (tegenzijdig, sterk lijkend, zonder Merians naam te noemen), waarbij hij deed alsof hij de prenten zelf had ontworpen. Deze prenten zijn tot ver in de 18de eeuw veelvuldig nagegraveerd in talrijke prentbijbeltjes en bijbels, vaak in kleiner formaat.

84 **Afbeeldingen der voornaamste historien, soo van het Oude als Nieuwe Testament,... tot verklaringe van ieder afbeeldinge daar by gevoegt, sinryke rymen, in de Latynse, Franse, Engelse, Hoog- en Nederduitse talen...**
Amsterdam, Nicolaes Visscher, [na 1650]
Kl. 2° (29 x 19 cm)
Rijksmuseum Het Catharijneconvent, Utrecht (BMH 7 E 5)
Lit.: Poortman 1983-1986, 2, p. 72-76

Men kent twee soorten Schutbijbels, een met Merian-prenten op originele grootte en een met verkleinde prenten. De tekenaar en graveur Pieter Jansz. Schut (1619-1662) kwam reeds op 16-jarige leeftijd in dienst van de Amsterdamse graveur en uitgever Nicolaes Visscher I (1587-1652). Deze bijbel heeft prenten die dezelfde grootte hebben als de oorspronkelijke Merian prenten, met rechts een prent met gedicht in vijf talen en links in vijf talen een prozatekst over hetzelfde onderwerp. De eerste druk dateert van ca. 1650 en verscheen in kwarto oblong. Ons exemplaar in folio, zonder datum, vertegenwoordigt de derde druk en werd uitgegeven door Nicolaes II (1618-1709), die de platen van zijn vader geërfd had.

85 **Toneel ofte Vertooch der Bybelsche Historien. Cierlyk in 't koper gemaeckt door Pieter H. Schut...**
Amsterdam, Nicolaas Visscher, 1659, 12° obl.
Bibliotheek der Rijksuniversiteit te Leiden (1228 G 36')
Lit.: Poortman 1983-1986, 2, p. 79

Pieter Schut vervaardigde 42 bladen met elk 8 kleine gravures naar Merian. Zo zijn er 192 kleine prentjes van het Oude Testament en 144 van het Nieuwe Testament. Later werden de platen versneden. In dit kleine boekje (er is ook nog een kleine Schutbijbel in octavo) is op elk blad een prentje afgebeeld, afkomstig van de 42 foliobladen.

86 **Toneel der voornaamste historien des ouden en nieuwen testaments, bestaande in driehondert ses en dertig afbeeldingen cierlyk in 't koper gebracht door Pieter H. Schuts en nieuwlyks uitgegeven...**
Rotterdam, Philippus Losel, 1739
Kl. 8° obl. (15 x 10 cm)
Rijksmuseum Het Catharijneconvent, Utrecht (BMH 33 A 2)
Lit.: Poortman 1983-1986, 2, p. 85, 279

De populariteit van de Merianprentjes zette zich ook in de 18de eeuw voort. In de heruitgaven komen de prenten wel steeds verder van de oorspronkelijke nadrukken van Danckerts en Schut af te staan. In 1733 kwam Philippus Losel met een heruitgave op de markt die in het jaar daarop werd gevolgd door een druk met teksten van Johannes Vollenhove. Dit exemplaar uit 1739 vertegenwoordigt de tweede druk van de uitgave van de Schutbijbel uit 1733. De prenten in dit boekje hebben overal kleine prikgaatjes die tonen dat zij als voorbeeld gediend hebben voor een der ambachtslieden uit de 18de eeuw.

87 **Den grooten figuer-bibel, dat is een afbeeldingh... der gantscher Heyliger Schrift, in schoone copere figueren by malkander vergadert... Verrykt met leersame verclaeringhen... Door I.P.S. [J. Ph. Schabaelje]**
Alkmaar, Symon Cornelisz. [Brekengeest], 1646 (2 dln.)
2° obl. (28 x 36,5 cm)
Rijksmuseum Het Catharijneconvent, Utrecht (BMH 18 C 9 en 10)
Lit.: Kruitwagen 1913, 49; Poortman 1983-1986, 2, p. 34-36

Naar de auteur van de teksten wordt deze prentbijbel in twee delen wel Figuer-bijbel van Schabaelje genoemd. Jan Philipsz. Schabaelje (ca. 1592-1656) was een bekende mennoniet en als editeur en uitgever sterk betrokken bij zijn werk. Het eerste deel, volgens de titelpagina uitgegeven in 1646, bevat een titelprent met Theatrum Biblicum van Claes Jansz. Visscher, gedateerd 1650. De twee delen bevatten prenten van diverse ontwerpers en graveurs die eerder al door Gerard de Jode, en na hem ook door Visscher, op de markt waren gebracht.

88 **Bibelsche Figueren, anders ghenaemt Spiegel des Evangelivms met Oud-Testamentische ende Figueren van 't Leven Christi t'werck der Apostelen en d'Apocalipsis. Verclaert en wt gegeven door I. Ph. Schabaelie.**
Alkmaar, Symon Cornelisz. Breken-Geest, 1648
4° obl. (16,5 x 21,5 cm)
Rijksmuseum Het Catharijneconvent, Utrecht (BMH 33 B 41)
Lit.: Kruitwagen 1913, 50; Poortman 1983-1986, 2, p. 81; Visser 1988, p. 45

Schabaelje stelt in de inleiding duidelijk het doel van de prenten die de goede voorbeelden uit de tekst moeten verhelderen: 'Ende sommige van dese Exempelen hebben wy met schoone kopere Figueren uytghedruckt, sulcke als eertijdts uytgegeven zijn by den vermaerden en konstrijcken Meester Mattheus Merian van Basel, 't welck geen kleyn licht en geeft...'. Een voorstelling naar deze prentbijbel is te vinden op cat. nr. 149.

89 **Historie des Ouden en Nieuwen Testaments verrijkt met meer dan vierhonderd printverbeeldingen in koper gesneden.**
Amsterdam, Pieter Mortier, 1700 (2 dln.)
2° (41,5 x 27 cm)
Rijksmuseum Het Catharijneconvent, Utrecht (ABM od 159, 62 F 8, alleen Oude Testament)
Lit.: Poortman 1983-1986, 2, p. 98-105

De grote bijbel van Mortier is in feite een prentbijbel, met telkens twee prenten op een blad met daarnaast een korte beschrijving. Mortier liet talrijke nieuwe tekeningen door verschillende kunstenaars maken. De eindverantwoordelijkheid lag bij David van den Plaets. Omdat uiteindelijk een groot deel van de tekeningen van de hand van de niet zo begaafde Otto Elliger was en het niveau van een aantal graveurs nogal middelmatig was, voldeed de bijbel tenslotte niet aan de verwachtingen.

90 **'T Groot Waerelds Tafereel, waarin de heilige en waereldsche geschiedenissen..., door konst-tafereelen historieel en sinbeeldig worden afgemaalt, en ider konstprent opgeheldert... in 't Frans beschreven door de Hr. J. Basnage, predikant in 's- Gravenhage. Vertaalt en met vaarsen verrykt door Hr. Mr. A. Alewyn.**
Amsterdam, J. Lindenbergh, 1715 (2 dln.)
2° (37 x 23,5 cm)
Rijksmuseum Het Catharijneconvent, Utrecht (BMH 11 E 1 en 2)
Lit.: Poortman 1983-1986, 2, p. 111

De uitgaven van *'T Groot Waerelds Tafereel* hebben 140 genummerde prenten. Geen prentbijbel in de 17de en 18de eeuw heeft zoveel drukken gekend als deze. Tussen 1706 en 1721 verschenen tien drukken van de prentbijbel van Basnage, waarvan er slechts twee gedateerd zijn (nl. de achtste (1715) en de tiende (1721). Dit exemplaar vertegenwoordigt de achtste druk, die is opgedragen aan Johan Trip van Berkenrode (1664-1732), burgemeester van Amsterdam. Zijn portret is voorin opgenomen. De tekst is van de Waalse predikant Jacques Basnage en is vertaald door de dichter Abraham Alewyn, die de prenten ook van gedichten voorzag.

91 **De Schriftuurlijke Geschiedenissen en Gelykenissen van het Oude en Nieuwe Verbond; vertoonende driehonderd zeven en dertig konstige figuuren, verrykt met bybelsche verklaringen en stichtelyke verzen door Johannes Luyken.**
Amsterdam, Wed. Pieter Arentz en Kornelis van der Sys, 1712, 4°
Bibliotheek der Rijksuniversiteit te Utrecht (AB-THO: WRT 5-65, 66)
Lit.: Poortman 1983-1986, 2, p. 126

Dit is de enige bijbel met prenten van Jan en Casper Luyken waarbij ook nog de tekst van Jan is. Zoon Casper was met de prenten begonnen maar kwam in 1708 te overlijden. Zijn vader zette de serie voort, maar stierf ook voordat het boek op de markt kwam (1712). Rechts zien we telkens de prenten met daaronder de bijbelteksten die op de afbeelding betrekking hebben. Links zien we een gedicht over hetzelfde onderwerp.

92 **Afbeeldingen der merkwaardigste geschiedenissen van het Oude en Nieuwe testament; in het koper geëtst door J. Luyken; en met nieuwe en leerzame beschryvingen opgeheldert.**
Amsterdam, J. Covens en C. Mortier, 1729
2° (46 x 28,5 cm)
Rijksmuseum Het Catharijneconvent, Utrecht (SPKK od 26, 62 F 1)
Lit.: Poortman 1983-1986, 2, p. 131

Jan Luyken maakte verschillende series van grote en kleine prenten die in bijbels ingevoegd konden worden. De serie van 62 grote prenten kwam als prentbijbel zonder tekst of titelblad voor het eerst uit in 1708 bij Pieter Mortier, onder de titel *Icones Biblicae....* Nadat ze waren uitverkocht, werden de prenten in 1729 opnieuw gedrukt. De koperplaten waren toen reeds overgenomen door C. Mortier en J. Covens, die P. Mortiers adres vervingen door dat van henzelf. De prenten werden nu met een beschrijving op de markt gebracht. In deze tweede druk zijn ook de kaarten en 29 ovale vignetten van Luyken uit de grote bijbel van Mortier opgenomen.

93 **Taferelen der voornaamste Geschiedenissen van het Oude en Nieuwe Testament en andere boeken bij de H. Schrift gevoegt door de vermaarde kunstenaars (G.) Hoet, (J.) Houbraken, en (B.) Picart getekend, en van de beste meesters in koper gesneden, en met beschrijvingen uitgebreid.**
's-Gravenhage, Pieter de Hondt, 1728 (3 dln.)
2° (41,5 x 26 cm)
Rijksmuseum Het Catharijneconvent, Utrecht (OKM od 19, 38 D 23, dl. I)
Lit.: Poortman 1983-1986, 2, p. 139-145

Onder leiding van de Fransman Bernard Picart werd bijna 25 jaar gewerkt aan de prentbijbel die Pieter de Hondt uiteindelijk in 1728 in Den Haag heeft uitgebracht. De prenten in het eerste deel zijn alle van Gerard Hoet, terwijl in de andere twee delen ook prenten van Arnold Houbraken en Bernard Picart opgenomen zijn. Picart maakte zelf 79 prenten van het totaal van 212 en is tevens verantwoordelijk voor de schitterende vignetten. De bijbel wordt de prentbijbel van Pieter de Hondt genoemd, omdat De Hondt verantwoordelijk is geweest voor de verspreiding van het werk. Zie ook cat.nr. 115.

94 **Biblia Sacra dat is de Heilige Schriftuur, naer de laetste Roomsche keure der gemeine Latijnsche overzettinge in nederduitsch vertaeld.**
Utrecht, Cornelius Guillelmus le Febvre, 1732 (2 dln.)
2° (39 x 24 cm)
Rijksmuseum Het Catharijneconvent, Utrecht (BMH 38 D 25, I en II)
Lit.: Poortman 1983-1986, 1, p. 136

Prenten uit de bijbel van Pieter de Hondt werden enkele jaren na verschijning (1728) ook opgenomen in deze oud-katholieke uitgave te Utrecht *Biblia Sacra dat is de Heilige Schriftuur...* (1732). De invloed die deze prenten uitoefenden blijkt uit de afbeeldingen op zowel een 18de-eeuws gouden horloge als op een Amelander hoekkastje (cat. nr. 77 en 115).

95 **Biblia Sacra dat is alle de Heylige Schriften van het Oude en Nieuwe Testament... 'T Antwerpen by Jan Moerentorf. Op nieuw herdruckt, en ... verbetert...**
Antwerpen, Petrus Jouret, 1714
2° (34,5 x 21 cm)
Rijksmuseum Het Catharijneconvent, Utrecht (BMH 11 E 4)
Lit.: Poortman 1983-1986, 1, p. 146-148

In 1672 verscheen in Lüneburg een Lutherbijbel die bekend werd onder de naam Scheitsbijbel, naar Mathias Scheits, ontwerper van de 152 prachtige kopergravures, gegraveerd door verschillende Duitse en Nederlandse meesters. Deze prenten komen niet in de oorspronkelijke staat in Nederlandse bijbels voor, maar zijn vaak in een kleiner formaat nagesneden door minder bekende kunstenaars, meestal leerlingen van Romeyn de Hooghe, zoals Lamsvelt of Folkema. Nagesneden Scheitsprenten verschenen bij diverse uitgevers in verschillende bijbeluitgaven, zoals in deze katholieke Moerentorf tekst van Jouret.

96 **De kleine print-bybel, waar in door verscheide afbeeldingen een meenigte van bybelsche spreuken verklaart werden. Tot vermaak der Jeugd, en om te leeren...**
Amsterdam, Gerrit Bouman, 1736
Kl. 8° (15,5 x 10 cm)
Rijksmuseum Het Catharijneconvent, Utrecht (RMCC od 24, 62 A 16)
Lit.: Poortman 1983-1986, 2, p. 166

In de 18de eeuw werden talrijke kinderbijbels uitgegeven, waaronder ook prentbijbels. Het doel van dit boekje, uit het Duits in het Nederlands vertaald, was hoog gesteld: niet alleen ter lering en vermaak van de jeugd, maar ook om 'elken zaak naukeurig af te schetsen, en by haar regte naam te noemen, ook de spreuken der H. Schrift byna zonder moeiten in de geheugenis te brengen'. De afbeeldingen zijn in de vorm van rebussen met een begeleidende tekst en achterin een verklaring. Het boekje verscheen voor het eerst in 1720 en is verschillende keren herdrukt.

97 **Historische Kinder-Bybel, of Schriftuurlyke Lusthof. Behelzende twee-honderd tweënvyftig afbeeldingen der voornaamste geschiedenissen van het Oude en Nieuwe Testament... Vierden druk.**
Amsterdam, Wed. Loveringh en Joh. Allart, 1777
8° (16 x 95 cm)
Rijksmuseum Het Catharijneconvent, Utrecht (RMCC od 23, 62 A 15)
Lit.: Poortman 1983-1986, 2, p. 159

De Amsterdamse drukker Jacobus Loveringh (en later ook zijn weduwe) heeft verschillende bijbels voor de jeugd uitgegeven. Dit soort boekjes was vooral bedoeld om de 'onderwyzing der leergierige Jeugd te hulp te komen'. De *Historische Kinder-Bybel* was geschikt voor jonge kinderen en bevat 270 afbeeldingen getekend en gegraveerd door de Fransman Jean B.M. Papillon (1698-1776). Deze bijbelse taferelen zijn hier uitgegeven 'ter gemakkelyke bevatting voor de jeugd, met byschriften, vaarsjes, en den bybeltext voorzien'. Voorin staat geschreven dat deze uitgave in 1816 als prijsboekje geschonken is aan een scholier, een zekere Cornelis Cardinaal, in de Vereenigde Doopsgezinde Gemeente te Westzaandam.

98 **Vernieuwde en verbeterde historische school en huisbybel of kern der bybelgeschiedenissen. In zich behelzende… zedekundige aanmerkingen. Benevens de eerste beginzelen der heilige aardrykskunde. Verrykt met CLX prentverbeeldingen…. van .. Gerardus Kulenkamp**
Amsterdam, Jacobus Loveringh, 1762
8° (16,5 x 10,5 cm)
Particuliere collectie
Lit.: Poortman 1983-1986, 2, p. 159

De tekst in dit kinderbijbeltje is als het ware een vraag- en antwoordspel op vele bijbelse onderwerpen. De prentjes zijn anoniem maar ondermeer beïnvloed door die van Cornelis Danckerts en door de kleine bijbel van Mortier. Het is in 1764 als prijsboekje geschonken aan Samuel Essenius te Zaltbommel.

99 **Alle de werken van Flavius Josephus behelzende twintig boeken van de Joodsche Oudheden… Alles uyt de Overzetting van den heer D'Andilly in 't Nederduytsch overgebracht door W. Séwel.**
Amsterdam, Pieter Mortier, 1704
2° (38 x 24 cm)
Rijksmuseum Het Catharijneconvent, Utrecht (34 A 7)
Lit.: Poortman 1983-1986, 2, p. 235-240

(Prent)bijbels waren natuurlijk niet de enige boekwerken die in de Nederlandse huisgezinnen te vinden waren. Belangrijk waren ook de rijk geïllustreerde werken van Flavius Josephus en van Jacob Cats (zie nr. 100). De joodse geschiedschrijver Flavius Josephus (ca. 37-95) beschreef in een groot aantal boeken de joodse oorlogen, de verwoesting van Jeruzalem en de joodse oudheden.

100 **Alle wercken van den heere Jacob Cats… met print-verbeeldingen… verrijkt.**
Amsterdam, Johannes Ratelband…, e.a / 's-Gravenhage, Pieter van Thol en Pieter Husson, 1726 (2 dln.)
2° (38,5 x 23,5 cm)
Rijksmuseum Het Catharijneconvent, Utrecht (RMCC 78/154 en 155)
Lit.: Fontaine Verwey, 1976 (1), p. 66; Hollstein, 35, p. 75

De eerste uitgave (1655) van de volledige werken van Jacob Cats geïllustreerd door Adriaen van de Venne (1589-1665), is een monument van de Nederlandse typografie en is verschillende keren herdrukt. De prenten vormen een encyclopedie van het dagelijks leven in de 17de eeuw. De inhoud is vooral didactisch en handelt over godsdienst en liefde. Het tweede deel van deze uitgave begint met de tekst 'Selfstryt, dat is onderlinge worstelinge van goede en quade gedachten…' door Jacob Cats, de 'dichtende opvoeder', in 1620 geschreven. Het bestaat uit een soort dispuut tussen Jozef en Potifars vrouw, gebaseerd op Flavius Josephus. De titelprent is van een anonieme kunstenaar naar Adriaen van der Venne.

V Geliefde motieven: bijbelse vrouwen

Vele bijbelse thema's werden nog lang afgebeeld, met name in de volkskunst. Een speciale plaats namen daarbij de voorbeeldige bijbelse vrouwen in. Zo is de moedige weduwe Judith te zien op een kastje tezamen met de dochter van Jefta, de koningin van Scheba en koningin Ester. De bijbelse heldinnen vindt men vaak op beschilderde meubels, zoals kistjes, kasten en wiegen. Zo dienden de voorstellingen op dit huisraad dan als voorbeelden voor de huisvrouw.

Geliefd bleven ook bijbelse ontmoetingen van een man en een vrouw, zoals van Rebekka en de knecht van Abraham. Zulke taferelen werden afgebeeld op horlogekasten en tabaksdozen, vermoedelijk huwelijksgeschenken.

101 **Schrijnkastje met vier bijbelse vrouwen**
Hindeloopen, 18de eeuw
Iepehout, 54 x 67 x 44,5 cm
Fries Museum, Leeuwarden (FM 5245)
Lit.: Boiten-Heijbroek 1983

Vier geschiedenissen met vrouwen in de hoofdrol zijn op dit kastje – een cadeau aan een vrouw? – geschilderd. Op de voorzijde links Ester voor koning Ahasveros, rechts de koningin van Scheba bezoekt koning Salomo, op de linkerzijkant de ontmoeting tussen Jefta en zijn dochter, op de rechterzijkant Judith bezoekt Holofernes.

102 **Assendelfter kast met de geschiedenis van Ester**
18de eeuw
Eikehout, 197 x 134 x 48 cm
Rijksmuseum Het Catharijneconvent, Utrecht (RMCC V 9; bruikleen van het Rijksmuseum Het Zuiderzeemuseum, Enkhuizen)
Lit.: Triebels 1960; Kruissink 1970 (1); Jas 1990

Linksboven Ahasveros kroont Ester tot koningin, rechtsboven Ester geknield voor koning Ahasveros, waarbij zij hem en Haman ter maaltijd uitnodigt, rechtsonder Haman ontvangt de zegelring van Ahasveros, linksonder Ester onthult Hamans boze plannen. De voorstellingen zijn gebaseerd op de kleine prenten van Schut, cat. nr. 86. De twee bovenste afbeeldingen zijn daarbij spiegelbeeldig weergegeven. Op de middenregel de voorstelling van de vijf wijze en de vijf dwaze maagden.

103 **De koningin van Scheba bezoekt koning Salomo**
Ca. 1700
Olieverf op paneel, 47 x 63 cm
Rijksmuseum Het Catharijneconvent, Utrecht (ABM S 144)

Dit paneel is enigszins primitief geschilderd. Vermoedelijk werd het niet vervaardigd door een echte kunstschilder, maar door een decoratieschilder die gewoon was kasten en ander meubilair te schilderen.

104 **Tafelblad met de koningin van Scheba bezoekt koning Salomo**
Ameland, 18de eeuw
Hout, 104 x 84 cm
Fries Museum, Leeuwarden (FM 1956-254)
Lit.: Boonenburg 1958 (1), p. 26; Jas 1990, p. 121

Koning Salomo ontvangt, gezeten op zijn leeuwentroon, de koningin van Scheba. Dit tafelblad was onderdeel van een klaptafel die in tegenstelling tot cat. nr. 181 in opgeklapte toestand het bovenblad toonde. Daarom werden de Amelander tafelbladen juist aan de bovenzijde van een voorstelling voorzien.

105 **Hakkebord met de koningin van Scheba voor koning Salomo**
18de eeuw
Eikehout, 55 x 82 cm
Rijksmuseum Het Catharijneconvent, Utrecht (RMCC V 10; bruikleen van het Rijksmuseum Het Zuiderzeemuseum, Enkhuizen)
Lit.: Kruissink 1970 (2), p. 33

De koningin van Scheba ligt geknield voor de leeuwentroon van koning Salomo. De populaire voorstelling is gesneden naar het voorbeeld van de kleine prenten van Schut, cat. nr. 86.

106 **Tegeltableau met Jefta ontmoet zijn dochter**
Aelmis, Rotterdam, 2de kwart 18de eeuw
Aardewerk, 57 x 117 cm
Het Nederlands Tegelmuseum, Otterlo (607)

De dramatische ontmoeting tussen Jefta en zijn dochter, die met reidansen en tamboerijnen haar vader na zijn overwinning op de Ammonieten tegemoet komt, was een geliefde voorstelling. Er zijn dan ook meerdere tegeltableaus met dit onderwerp bewaard gebleven.

107 **Poppewiegje met de geschiedenis van Ester en diverse landschappen**
Zaanstreek, 18de eeuw
Eikehout, 30 x 50 x 29 cm
Zaanlandse Oudheidkamer, Zaandijk (ZOV 2170)
Lit.: Kruissink 1970 (1)

Op de rechterzijkant Ahasveros kroont Ester, op het hoofdeinde Haman ontvangt de zegelring van Ahasveros, op de linkerzijkant Ester nodigt Ahasveros uit ter maaltijd, en op het voeteneinde Ester onthult Hamans plannen. De voorstellingen zijn ontleend aan de kleine prenten van Schut, cat. nr. 86, de voorstelling op de rechterzijkant is in spiegelbeeld.

108 **Kistje**
Hindeloopen, midden 18de eeuw
Eikehout, 11 x 36,5 x 26 cm
Rijksmuseum Het Zuiderzeemuseum, Enkhuizen (ZZM 7436)

Op de voorzijde de koningin van Scheba bezoekt koning Salomo, op de linkerzijde Ester voor koning Ahasveros, op de rechterzijde de kroning van Ester?

109 **Brandewijnkom**
Johannes Feddema, 1776
Zilver, 8,5 x 27 cm
Fries Museum, Leeuwarden (FM 1979-181)
Lit.: cat. Leeuwarden 1985, 785

Aan de ene zijde Ester voor Ahasveros, aan de andere zijde de aanbidding der koningen. Bij geboorte, doop of huwelijk stond de brandewijnkom, gevuld met boerenjongens of boerenmeisjes, op tafel en schepte men de glaasjes vol om op de gezondheid van de nieuwe telg of van het jonge paar te drinken.

110 **Gelegenheidslepel met Judith met het hoofd van Holofernes**
Wieger Cornelis Schreuder, 1720
Zilver, l. 16,5 cm
Fries Scheepvaartmuseum, Sneek (Z-8)

Gelegenheidslepels werden geschonken bij geboorte, doop of huwelijk.

111 **Tazza met Suzanna, bespied door de oudsten**
2de helft 18de eeuw
Aardewerk, h. 9,3 cm, diam. 25,5 cm
Museum Het Princessehof/Nederlands Keramiekmuseum, Leeuwarden (NO 5767)

In een paleisachtige omgeving bespieden de oudsten, gekleed in orientaals kostuum, de badende Suzanna.

112 **Vensterbanktegel met Juda en Tamar**
18de eeuw
Aardewerk
Het Nederlands Tegelmuseum, Otterlo (04000)

Terwijl Tamar de staf van Juda al in haar arm houdt, ontvangt zij van Juda een ander onderpand, namelijk zijn zegelring.

113 **Horloge met op de kast David en Abigaïl**
1766
Goud, h. 2 cm, diam. 4,8 cm
Nederlands Openluchtmuseum, Arnhem (NOM Z-45-'68/AIB)

Op deze horlogekast is een bijbelse ontmoeting tussen een man en vrouw afgebeeld. De vrouw van Nabal, Abigaïl, brengt voedsel naar David, nadat haar man het hem eerst geweigerd had.

114 **Horloge met Rebekka die sieraden ontvangt van de knecht van Abraham (Gen. 24: 22)**
Midden 18de eeuw
Zilver, diam. 5,5 cm
Nederlands Goud-, Zilver- en Klokkenmuseum, Schoonhoven (HSK 60)

Wanneer Rebekka de knecht van Abraham en zijn kamelen heeft gedrenkt, ontvangt zij van hem allerlei sieraden. De aanbieding hiervan heeft de zilversmid in beeld gebracht.

115 **Horloge met de ontmoeting tussen Rebekka en Izaäk (Gen. 24: 62-67)**
18de eeuw
Goud, diam. 4,1 cm
Fries Museum, Leeuwarden (FM 1955-126)

Wanneer Rebekka Izaäk ziet aankomen, laat zij zich van haar kameel glijden en bedekt haar gezicht met een sluier. De voorstelling van deze ontmoeting is gebaseerd op een prent uit de prentbijbel van De Hondt, cat. nr. 93.

116 **Tabaksdoos met Rebekka en de knecht van Abraham bij de put**
18de eeuw
Koper, 9 x 15 x 2,4 cm
Nederlands Openluchtmuseum, Arnhem (MI 25542-56)

De tekst bij de voorstelling luidt 'Rebecca brenght den knecht Abrahams ende Sijne kemelen te drincken Genes 24 vers 17'. Op de achterzijde van de doos een versje ' Voor een goed Vrint, Daer staet mijn doos voor open, Maer niet voor alle Man, Die op den beedel loopen'. De voorstelling is gegraveerd naar de kleine prenten van Schut, zoals ze voorkomen in cat. nr. 86.

117 **Tabaksdoos met Rebekka en de knecht van Abraham bij de put en Jozef beproeft zijn broers**
18de eeuw
Koper, 7 x 12,5 x 2,2 cm
Rijksmuseum Het Catharijneconvent, Utrecht (BMH m 1436)

Onderschrift: 'Rebecka geeft Abrams kneght te drinkcken'.

118 **Plaque met Rebekka en de knecht van Abraham bij de put**
Aardewerk, 16 x 36 cm
Rijksmuseum, Amsterdam (NM 12400-19)

119 **Tegel met Rebekka en de knecht van Abraham bij de put**
18de eeuw
Aardewerk, 12,8 x 12,7 cm
Het Nederlands Tegelmuseum, Otterlo (33)

Deze tegel is beschilderd naar de kleine prenten van Schut, zoals ze voorkomen in cat. nr. 86.

VI Geliefde motieven: het Oude Testament

Vele oudtestamentische verhalen, zoals de geschiedenissen van de aartsvaders Abraham, Izaäk en Jakob, bleven nog eeuwenlang te vinden op allerlei huiselijke voorwerpen. Ook de voorstelling van Mozes in het biezen kistje werd nog zeer veel afgebeeld. Er is echter meestal niet meer duidelijk een verband te leggen tussen de bijbelse voorstelling en het voorwerp.

De geschiedenis van Jozef kan dit illustreren. In de 16de en 17de eeuw fungeerde de voorstelling van de vluchtende Jozef op huisraad vooral als een bijbels voorbeeld om de kuisheid te bewaren. Later lijkt Jozef deze specifieke betekenis te verliezen, al bleef hij zeer geliefd. Allerlei andere taferelen uit Jozefs veelbewogen geschiedenis kwamen toen terecht op kasten, aardewerk en zilver, en op vele tabaksdozen.

120 **Wieg met oudtestamentische taferelen**
Hindeloopen, gedateerd 1752
Eikehout, 69 x 100 x 55 cm
Museum Hidde Nijlandstichting, Hindeloopen (6051; bruikleen van het Fries Museum)

Op het hoofdeinde Rebekka geeft de knecht van Abraham (Eliëzer) te drinken, op de rechterzijkant de koningin van Scheba bezoekt koning Salomo, op de linkerzijkant het oordeel van Salomo, op het voeteneinde de zegening door Jakob van de zonen van Jozef, Efraïm en Manasse (Gen. 48: 1-22).

121 **Schrijflessenaar met oud- en nieuwtestamentische taferelen**
Hindeloopen, midden 18de eeuw
Eikehout, 90 x 67 x 47 cm
Museum Hidde Nijland Stichting, Hindeloopen (2517)

Op de voorzijde Mozes in het biezen kistje, op het schrijfblad het weerzien tussen Jozef en zijn vader Jakob, op de rechterzijkant de koningin van Scheba bezoekt koning Salomo, op de middenregel de vijf wijze en de vijf dwaze maagden.

122 **Twee panelen van een beddeschot**
Hindeloopen, 18de eeuw
Hout, 113 x 127,5 x 3 cm
Nederlands Openluchtmuseum, Arnhem (NOM 3612-1944)
Lit.: Triebels 1961, p. 229

a) Jozef wordt door zijn broeders verkocht en b) de koningin van Scheba bezoekt koning Salomo. Bij deze panelen behoort een ander stel, namelijk met de ontmoeting van Rebekka en de knecht van Abraham en Salomo's oordeel. De voorstellingen zijn vrij nageschilderd naar Schut, cat. nr. 86.

123 **Koekplank met voorstelling Adam en Eva**
18de eeuw
Iepehout, 34 x 24 x 4 cm
Fries Museum, Leeuwarden (FM 8842)
Lit.: Korf 1967, p. 68

98 Koekplank met Adam en Eva (cat. nr. 123)

Adam en Eva, voorzien van schorten van bladeren, houden ieder een appel vast terwijl de slang zich om de boom kronkelt.

124 **Pijpedoos**
1767
Palmhout, 19,5 x 7 cm
Nederlands Openluchtmuseum, Arnhem (NOM 27428)

Aan de voorzijde Adam en Eva, aan de achterzijde het offer van Abraham

125 **Horloge met op de kast het offer van Abraham**
Amsterdam, midden 18de eeuw
Zilver, diam. 3,8 cm
Nederlands Goud-, Zilver- en Klokkenmuseum, Schoonhoven (HSK 71)

Wanneer Abraham zijn hand heft om zijn zoon, die voorover geknield ligt, te offeren, wordt hij tegengehouden door een engel. Dit kleine horloge met Abrahams offer was bestemd voor een vrouw.

126 **Loddereindoosje met het offer van Abraham**
A. de Hoop, Amsterdam 1781
Zilver, 3,1 x 2,8 x 2,9 cm
Collectie Wttewaall, 's-Gravenhage
Lit.: Wttewaall 1987, p. 63

In een loddereindoosje bevond zich een sponsje, gedrenkt in een geurige vloeistof, eau de la reine (lodderein). Het kleine doosje werd sedert ca. 1700 door vrouwen met zich meegedragen in hun beugeltas.

127 **Twee suikerstrooilepels met het offer van Abraham**
Johannes Feddema, Leeuwarden, ca. 1800
Zilver, h. 20 cm
Fries Museum, Leeuwarden (1960-235)
Lit.: cat. Leeuwarden 1985, 653; Wttewaall 1987, p. 189

De suikerstrooilepel was gedurende de 18de eeuw een veel voorkomend gebruiksvoorwerp, met name bij feestelijke gelegenheden. De lepel werd gebruikt om er geschaafd broodsuiker of poedersuiker mee te strooien.

128 **Stoof**
1650-1700
Eikehout, 22,5 x 24,5 x 22,5 cm
Rijksmuseum Het Zuiderzeemuseum, Enkhuizen (ZZM B 555)

Op de bovenzijde het offer van Abraham, op de zijkanten: Daniël in de leeuwenkuil?, vlucht naar Egypte?, bekering van Paulus?, en een nog onbekende voorstelling.

129 **Achterkrat van een boerenwagen met het offer van Abraham**
18de eeuw
Grenehout, 124 x 136 cm
Rijksmuseum Het Catharijneconvent, Utrecht (RMCC V 5; bruikleen van het Frans Halsmuseum, Haarlem)

De voorstelling is gebaseerd op een prent van G. Hoet, zoals deze voorkomt in cat. nr. 93. Het onderschrift luidt 'Hoe Abram doort Geloof Gods gunst, een dierbre Schat van 's Heemels Zegen, zijn Zoon zijn Isaac heeft gegeven, vertoont u hier de schilderkunst'.

130 **Tegeltableau met de verstoting van Hagar**
Aelmis, Rotterdam, 1740-1760
Aardewerk, 116,5 x 64,2 cm
Historisch Museum Het Schielandhuis, Rotterdam (5085)
Lit.: Hoynck van Papendrecht 1920, p. 116

Terwijl Sara en Izaäk toekijken, stuurt Abraham zijn slavin Hagar met haar zoon Ismaël weg. Deze dramatische scène was geliefd in Rembrandts tijd en bleef dat in de 18de eeuw. Volgens Hoynck van Papendrecht is deze voorstelling gebaseerd op een prent, die uitgegeven werd door Wagner te Venetië.

131 **Vensterbanktegel met de verstoting van Hagar**
18de eeuw
Aardewerk, 19 x 19 cm
Stedelijk Museum De Lakenhal, Leiden (De Goederen, 312)
Lit.: cat. tent. Leiden 1980, 312

De wegzending van Hagar en haar zoon Ismaël door Abraham vindt hier plaats in een landschap, links op de achtergrond is nog het huis te zien.

132 **Plaquette met de droom van Jakob**
Delft, ca. 1750
Aardewerk, 19,5 x 21,5 cm
Rijksmuseum Het Catharijneconvent, Utrecht (BMH V 1974)

Wanneer Jakob onderweg is naar Haran, droomt hij dat er een ladder is tussen hemel en aarde waarlangs engelen afdalen.

133 **Dienblad met de droom van Jakob**
Ca. 1750
Hout, 28 x 45,5 cm
Rijksmuseum Het Zuiderzeemuseum, Enkhuizen (ZZM 11321)

Gelegen op een steen droomt Jakob dat engelen een trap afdalen en weer opklimmen. Boven aan de ladder ziet hij God, die hem toespreekt.

99 Tegeltableau met de verstoting van Hagar (cat. nr. 130)

134 **Beker met voorstellingen uit het leven van Jozef**
Jan Saagman, Stavoren, 1687
Zilver, h. 19,8 cm, diam. 13,3-13,8 cm
Fries Museum, Leeuwarden (1951-162)
Lit.: cat. Leeuwarden 1985, 86

In drie cartouches onder de liprand zijn gegraveerd: a) Jozef vertelt zijn dromen b) Jozef wordt in de put gegooid c) Jakob wordt de met bloed bevlekte rok van Jozef getoond. Daaronder in cartouches: d) Jozef vluchtend voor de vrouw van Potifar e) Jozef legt de dromen van de farao uit, en een alliantiewapen. Boven op de voet de voorstellingen: f) Jozef rijdt op de wagen van de farao g) de beker wordt in Benjamins zak gevonden h) het weerzien tussen Jakob en Jozef. Onder op de bodem is rond een zespuntige ster in handschrift gegraveerd Ian – Zaagman. En . Annatie . Hendrickx. Ao. 1687.

100 Zilveren tabaksdoos met op de onderzijde Jozef ontvangt zijn broers in Egypte (cat. nr. 135)

135 **Tabaksdoos met Jakob zendt zijn zoons naar Egypte om graan te kopen**
Jacobus de Koning, Amsterdam 1763
Zilver, 5 x 15,7 x 3 cm
Collectie Wttewaall, 's-Gravenhage
Lit.: Wttewaall 1987, p. 218

Onderschrift 'Gen. 42: 1-2'. De voorstelling is gegraveerd naar de kleine prenten van Schut, zoals ze voorkomen in cat. nr. 86.

136 **Broekstukken met Jozef vluchtend voor de vrouw van Potifar**
19de eeuw
Zilver, diam. 4,5 cm
Rijksmuseum Het Zuiderzeemuseum, Enkhuizen
Lit.: cat. tent. Arnhem 1982, p. 16

Op de broeken van het mannenkostuum in de klederdracht werden nog tot het begin van deze eeuw dergelijke broek-, klep- of klapstukken gedragen, twee grote ronde knopen. De voorstelling, de vluchtende Jozef, moest de drager ervan kennelijk manen tot het bewaren van de kuisheid.

137 **Tabaksdoos met de geschiedenis van Jozef**
18de eeuw
Messing en koper, 5,1 x 17,8 x 3,9 cm
Fries Museum, Leeuwarden (964j)

Op het deksel van links naar rechts de voorstellingen en bijbehorende onderschriften: 'Josep verklaart sijn drom', 'wort in de kuijl gelate', 'Josep wort verkogt', 'Josep 't kleet vertont'; op de bodem de afbeeldingen met onderschriften: 'Josep tot onkuijshijt versogt', 'Josep wort gevange', 'Josep sit gevange', 'Josep lijt Farao's drom uijt'.

138 **Tabaksdoos met Jozef die zich bekend maakt aan zijn broers**
18de eeuw
Koper
Fries Museum, Leeuwarden (FM 2176)

De tekst ter linkerzijde van de voorstelling luidt 'de broeders dood van schrik, tot Josephs eeuwige eer, hier dalen naar de aarde, als ellef schoven neer', ter rechterzijde 'al heeft hij zagt van aard, zig niet aan haar gewroken, de vierschaar van 't gemoet heeft haar niet vrij gesproken'.

139 **Vijf borden met de geschiedenis van Jozef**
Delft, 1756-1757
Aardewerk, h. 4,5 cm, diam. 25 cm
Collectie Haags Gemeentemuseum, 's-Gravenhage (OC 92-1904 a t/m e)

a Jozef door zijn broers in de put geworpen
b Jozef door zijn broers verkocht
c Het vinden van de beker in Benjamins zak
d Jozef maakt zich bekend aan zijn broers
e Het weerzien van Jakob en Jozef

140 **Assendelfter kast met de geschiedenis van Jozef**
Gedateerd 1676
Eike- en vurehout, 172 x 131 x 52,5 cm
Rijksmuseum Het Zuiderzeemuseum, Enkhuizen (ZZM 13182)

Linksboven Jozef vertelt zijn dromen, rechtsboven Jozef wordt in de put gegooid, linksonder het vinden van de beker in de zak van Benjamin, rechtsonder het weerzien tussen Jozef en zijn vader Jakob. Op de middenregel staat een rebus: 'Vat de tijd en leer de wereld kennen'.

141 **Tegeltableau met de verkoop van Jozef, bijschrift Gen. 37: 27**
Aelmis, Rotterdam, 18de eeuw
Aardewerk, 141 x 90 cm
Stedelijke Musea, Gouda (54.129)

Van de Rotterdamse tegelbakkerij Aelmis zijn vele tegeltableaus bewaard gebleven. De tegelschilderijen tonen favoriete voorstellingen, waaronder de redding van Mozes, Jefta en zijn dochter, de verstoting van Hagar en de verkoop van Jozef. Dergelijke tegeltableaus waren ondere andere te vinden als schoorsteenstuk.

142 **Tegel met Jozef vluchtend voor de vrouw van Potifar**
Rotterdam, 18de eeuw
Aardewerk, 13 x 13 cm
Het Nederlands Tegelmuseum, Otterlo (191)

143 **Mozes uit het water gered**
Rombout van Troyen (1605-1656), 1625-1635
Olieverf op paneel, 18 x 26 cm
Rijksmuseum Het Catharijneconvent, Utrecht (BMH S 474b)
Lit.: Marijnen 1983

Dit schilderij is een pendant van cat. nr. 2. De redding van Mozes vormde een geliefd thema in Rembrandts tijd.

144 **Schotel met Mozes in het biezen kistje**
18de eeuw
Aardewerk, diam. 36,2 cm
Museum Boymans-van Beuningen, Rotterdam (A 3379)

Terwijl de dochter van de farao onder een parasol toekijkt, tilt een vrouw het kistje met het kindje Mozes uit het water. Links op de achtergrond een boom, waarachter heel vaag de gestalte van Mirjam, de zuster van Mozes, is weergegeven.

145 **Schotel met Mozes in het biezen kistje**
Friesland, 1737
Aardewerk, diam. 36 cm
Fries Museum, Leeuwarden (FM 531-H)
KAPITA
De voorstelling op dit bord is gelijk aan het vorige cat.nr. De schildering is echter grover, de boom met de figuur van Mirjam is geheel weggevallen.

146 **Plaquette met Mozes in het biezen kistje**
Friesland, 18de eeuw
Aardewerk, 24 x 30 cm
Fries Museum, Leeuwarden (FM 1960-38)

Deze voorstelling gaat terug op een compositie, die zowel bij de kleine als de grote prenten van Schut te vinden is. Zie cat. nrs. 84, 85 en 86.

147 **Plaquette met Mozes in het biezen kistje**
18de eeuw
Aardewerk, 38 x 32 cm
Rijksmuseum, Amsterdam (RBK 1958-34)

148 **Tegeltableau met Mozes in het biezen kistje**
Aelmis, Rotterdam, 1740-1760
Aardewerk, 116,5 x 64,2 cm
Historisch Museum Het Schielandhuis, Rotterdam (5041)
Lit.: Hoynck van Papendrecht 1920, p. 116

Terwijl de dochter van de farao toekijkt, tilt een van de vrouwen van haar gevolg het biezen kistje uit het water. Zie ook cat. nr. 141.

149 **Mangelbak met Mozes in het biezen kistje**
Hindeloopen, midden 18de eeuw
Eikehout, 31,5 x 39 x 10 cm
Museum Hidde Nijland Stichting, Hindeloopen

De schilder gebruikte voor deze voorstelling een prentvoorbeeld van Schut, cat. nr. 84 en cat. nr. 88, ter opvulling voegde hij rechts een vijfde vrouw toe.

150 **Miniatuur mangelbakje met voorstelling Mozes slaat water uit de rots**
Hindeloopen, midden 18de eeuw
Eikehout, 14 x 17,5 x 4,5 cm
Museum Hidde Nijland Stichting, Hindeloopen (602)

101 Schotel met Mozes in het biezen kistje (cat. nr. 144)

De voorstelling is sterk vereenvoudigd geschilderd naar de grote Schutprenten (cat. nr. 85). De bosschages die op de prent op de achtergrond te zien zijn, heeft de schilder veranderd in tenten.

151 **Loddereindoosje met de verspieders**
J. van Hoek, Amsterdam ca. 1815
Zilver, 2 x 3,4 x 3 cm
Collectie Wttewaall, 's-Gravenhage

De twee verspieders, vermoedelijk ook geliefd vanwege de fraaie symmetrische voorstelling, zijn hier op een reukdoosje terechtgekomen.

152 **Loddereindoosje met David en Jonathan**
J. Roelofsen, Middelburg 1797
Zilver, 2,7 x 3 x 3 cm
Collectie Wttewaall, 's-Gravenhage
Lit.: Wttewaall 1987, p. 68

Rondom de figuren staat geschreven 'Ik wil aan u doen wat Uw herte begeerd', onder de figuren 'Gulhartige Vriendschap'. Op de voorzijde bevindt zich een afbeelding van stadhouder Willem V.

153 **Koekplank**
18de eeuw
Hout, 65,5 x 15 x 3 cm
Rijksmuseum Het Catharijneconvent, Utrecht (RMCC V 13; bruikleen van het Centraal Museum, Utrecht)

Van onder naar boven: de verspieders, koning David met de harp, en een geslacht varken.

154 **Gelegenheidsglas met David en Jonathan**
1770-1780
Radgravure op geblazen glas, h. 18 cm, diam. voet 9 cm, diam. kelk 8,7 cm
Rijksmuseum Het Catharijneconvent, Utrecht (RMCC V 86)
Lit.: Schadee 1989, p. 17, 35

De tekst op dit glas luidt 'De getrouwe Vrintschap'. Het bijbelse verbond tussen David en Jonathan leende zich bij uitstek voor de decoratie van gelegenheidsglazen, die in de 18de eeuw populair werden om de vriendschap te beklinken.

155 **Hakkebord met het oordeel van Salomo**
Ca. 1750
Eikehout, 56 x 79 x 8,5 cm
Rijksmuseum Het Zuiderzeemuseum, Enkhuizen (ZZM 4065)

Koning Salomo spreekt vanaf zijn leeuwentroon zijn wijze oordeel uit. Hij is, evenals zijn dienaren, gekleed in 18de-eeuws rokkostuum met kniebroek.

156 **Marker kast met taferelen uit het leven van de profeet Elia**
18de eeuw
Vure- en eikehout, 172 x 131 x 52,5 cm
Rijksmuseum Het Zuiderzeemuseum, Enkhuizen (ZZM 5750)
Lit.: Boonenburg 1958 (1), p. 23 e.v.

Linksboven Elia door de raven gevoed (1 Kon. 5-6), rechtsboven Elia en de weduwe van Sarfath (1 Kon. 17: 12), linksonder Elia in de woestijn, waar hij door een engel aangeraakt wordt en gemaand wordt om te eten (1 Kon. 19: 5-6) en rechtsonder de hemelvaart van Elia door een vurige wagen en vurige paarden, gadegeslagen door Elisa (2 Kon. 2: 11).

157 **Vensterbanktegel met voorstelling Tobias op weg met de engel**
18de eeuw
Aardewerk
Stedelijke Musea, Gouda (53887)
Lit.: Jonge 1971, p. 327

158 **Tegel met voorsteling Tobias en de vis**
18de eeuw
Aardewerk, 12 x 13 cm
Museum Het Princessehof/Nederlands Keramiekmuseum, Leeuwarden (8916)

159 **Mangelbak met Tobias die op aanwijzing van de engel een vis vangt**
Hindeloopen, midden 18de eeuw
Eikehout, 32 x 48 x 9 cm
Museum Hidde Nijland Stichting, Hindeloopen (2575)

Hoewel het verhaal van Tobias tot de apocriefe boeken behoort, was het bekend genoeg om nog te worden afgebeeld op diverse Hindelooper gebruiksvoorwerpen.

160 **Kistje**
Hindeloopen, 18de eeuw
Hout, 24 x 32 x 11,5 cm
Particuliere collectie

Op de voorzijde een voorstelling van de vijf wijze en de vijf dwaze maagden, op de zijkanten voorstellingen van Christus en de Samaritaanse vrouw bij de put en Tobias die op aanwijzing van de engel een vis vangt.

161 **Prikslede**
Hindeloopen, gedateerd 1759
Eikehout, 30 x 99 x 51 cm
Museum Hidde Nijlandstichting, Hindeloopen (476)

Op de achterzijde een voorstelling van de verdrijving van Heliodorus, de tempelrover (2 Makk. 3: 25-27). Op de linkerzijkant een voorstelling van Christus in een zonnewagen, getrokken door een engel, een leeuw, een os en een adelaar (symbolen van de vier evangelisten) en op de rechterzijkant het oordeel van Salomo. In het boek der Makkabeeën wordt verhaald hoe de Syrische kanselier Heliodorus pogingen doet de tempelschatten te bemachtigen. De hogepriester en geheel het volk bidden tot God om dit te verhinderen. Plotseling zien zij een prachtig opgetuigd paard, bereden door een schrikwekkende ruiter. Het dier slaat met zijn voorhoeven op Heliodorus. Twee sterke jonge mannen gaan aan weerszijden van Heliodorus staan en ranselen hem zonder ophouden. Heliodorus stort tenslotte ter aarde.

VII Geliefde motieven: het Nieuwe Testament

Als geliefde nieuwtestamentische voorstellingen kwamen onder andere voor: de bruiloft te Kana, de genezingen door Christus, en Christus en de Samaritaanse vrouw. Overigens werden de verhalen uit het Nieuwe Testament gecombineerd met die uit het Oude Testament. Er bestond dan echter geen directe relatie tussen deze voorstellingen.
De gelijkenissen werden nog veelvuldig afgebeeld. De voorkeur ervoor was soms streekgebonden: in de Zaanstreek overheerste het motief van de verloren zoon, op Ameland dat van de vijf wijze en vijf dwaze meisjes.

Soms is er nog sprake van een zekere relatie tussen voorwerp en voorstelling. Zo staat op een beddeplank met voorstelling van Christus en de Emmaüsgangers toepasselijk geschreven: 'Blijft bij ons want het wordt avond'.

162 **Tabaksdoos**
Jacobus Das van Leyden, Amsterdam 1735
Zilver, 6 x 12 x 4 cm
Collectie A. Aardewerk, 's-Gravenhage

Op de bodem is een voorstelling van de bruiloft te Kana gegraveerd. Het tafereel op het deksel laat een koning zien die met zijn scepter wijst naar een man die voor hem staat. Achter hen bevindt zich een wijngaard en op de achtergrond is een kasteel te zien. Vermoedelijk is de geschiedenis van Nabot in beeld gebracht: de voorgestelde koning zou Achab zijn die de wijngaard van Nabot, grenzend aan zijn huis, wil kopen (1 Kon. 21: 1-29).

102 Zilveren tabaksdoos met de bruiloft te Kana (cat. nr. 162)

163 **Brandewijnkom**
J. Feddema, Leeuwarden 1779
Zilver, 11,7 x 25,5 x 8,4 cm
Collectie Wttewaall, 's-Gravenhage

Afgebeeld zijn o.m. een genezing door Christus, de hemelvaart van Christus en de verspieders. Over het gebruik van de brandewijnkom: zie cat. nr. 109.

164 **Mes**
2de helft 18de eeuw
Zilver, l. 21,8 cm, l. heft 9,8 cm
Collectie Haags Gemeentemuseum, 's-Gravenhage (EM 55-1959)

Op de ene zijde van het heft de bruiloft te Kana, op de andere zijde het oordeel van Salomo.

165 **Mes**
J. Borduur, 1753
Zilver, l. heft 11,2 cm
Collectie Wttewaall, 's-Gravenhage
Lit.: Wttewaall 1987, p. 165

Op de ene zijde van het heft de genezing van een blinde, op de andere zijde de worsteling van Jakob met de engel (Gen. 32: 22-32).

166 **Naaldenkoker**
Cornelis van Hoek, Amsterdam 1809/1810
Zilver, l. 10 cm
Collectie Wttewaall, 's-Gravenhage
Lit.: Wttewaall 1987, p. 118

Onder de vlucht naar Egypte, daarboven Christus redt Petrus uit het water. Wanneer Petrus over het water naar Jezus toeloopt, realiseert hij zich plotseling dat er een harde wind staat. Hij wordt bang en begint te zinken, waarop Christus hem de hand toesteekt om hem te redden.

167 **Snuifdoos**
Cornelis van Hoek, Amsterdam 1806
Zilver, 6,8 x 5,1 x 2,6 cm
Collectie Wttewaall, 's-Gravenhage
Lit.: Wttewaall 1987, p. 244

Op de bovenzijde de vlucht naar Egypte, op de onderzijde Job op de mestvaalt (Job 2: 8). Sinds het einde van de 17de eeuw was het snuiven van tabak in zwang gekomen. Bij het nemen van een snuifje hield men de doos in de linkerhand vast, lichtte men met de rechterhand het deksel en nam tussen duim en wijsvinger een weinig snuiftabak om naar de neus te brengen. Omdat men het doosje mee droeg mocht het niet te groot zijn.

168 **Luiermand met de besnijdenis van Christus (Luk 2: 21)**
18de eeuw
Aardewerk, 19 x 37,5 cm
Rijksmuseum, Amsterdam (NM 9504)

Ter decoratie van een luiermand koos de plateelschilder een onderwerp uit het eerste levensjaar van Jezus, namelijk diens besnijdenis.

169 **Theebusje**
Delft, midden 18de eeuw
Aardewerk, 11,5 x 8,1 cm
Collectie Haags Gemeentemuseum, 's-Gravenhage (OC 5-1963)

Op de voorzijde de doop van Christus in de Jordaan (Mat. 3: 13), op de zijkant en bovenkant Samson. De voorstellingen zijn geschilderd naar de kleine prenten van Schut, cat. nr. 86.

103 Zilveren snuifdoos met op de onderzijde Job op de mestvaalt (cat. nr. 167)

104 Theebusje met de doop van Christus in de Jordaan (cat. nr. 169)

105 Plaquette met Christus geneest een blinde (cat. nr. 171)

170 **Schotel met de roeping van Petrus en Andreas (Mat. 4: 18)**
18de eeuw
Aardewerk, diam. 36 cm
Rijksmuseum, Amsterdam (NM 12400-181)

Christus, die langs de zee loopt, roept de vissers Petrus en Andreas tot zijn discipelen. De voorstelling is geschilderd naar de kleine prenten van Schut, zoals ze voorkomen in cat. nr. 86.

171 **Twee plaquettes met genezingen door Christus**
Delft, ca. 1700
Aardewerk, 27,4 x 35,6 cm
Collectie Haags Gemeentemuseum, 's-Gravenhage (OC 44-1904, 43-1904)

a Genezing van de blinde Bartimeüs, onderschrift 'Luc 18'.
b Christus drijft een boze geest uit, onderschrift 'Luc 11'.

172 **Plaquette met de genezing van een blinde**
Delft, 3de kwart 18de eeuw
Aardewerk, 35,5 x 36,5 cm
Rijksmuseum Het Catharijneconvent, Utrecht (BMH V 1975)

Tegen een Hollands landschap met een molen, vindt de genezing van een blinde plaats. Onderschrift: 'Joh. 9 vers 1'.

173 **Schaaltje met Christus en de overspelige vrouw**
Delft, midden 18de eeuw
Aardewerk, 17,7 x 15,8 x 19,5 cm
Collectie Haags Gemeentemuseum, 's-Gravenhage (OC 145-1904)

Het thema Christus en de overspelige vrouw is hier geschilderd op een schaaltje. Het onderschrift is 'Joan. 8 v. 3'. De voorstelling is vergelijkbaar met die op cat. nr. 174.

106 Schotel met de roeping van Petrus en Andreas (cat. nr. 170)

174 **Twee voetstukken van een tulpenvaas**
Delft, 18de eeuw
Aardewerk, 20 x 14,5 cm
Collectie Haags Gemeentemuseum, 's-Gravenhage (OC 275-1904)

Op de ene zijde Christus en de overspelige vrouw, op de andere zijde Lot en zijn dochters. De voorstelling met Christus en de overspelige vrouw is vergelijkbaar met die op cat. nr. 173.

175 **Suikerstrooilepel met Christus en de Samaritaanse vrouw bij de put**
J. Feddema, Leeuwarden ca. 1790
Zilver, bak 6,7 x 8,6 cm
Collectie Wttewaall, 's-Gravenhage
Lit.: Wttewaall 1987, p. 194

Over de suikerstrooilepel zie cat. nr. 127.

176 **Loddereindoosje met Christus en de Samaritaanse vrouw bij de put**
Johannes Gastmans, Amsterdam 1748
Zilver, h. 2,5 cm, diam. 2,7 cm
Collectie Wttewaall, 's-Gravenhage

Over het gebruik van een loddereindoosje zie cat. nr. 126.

177 **Broekstukken met Christus en de Samaritaanse vrouw**
19de eeuw
Zilver, diam. 9 cm
Rijksmuseum Het Zuiderzeemuseum, Enkhuizen

Over de broekstukken zie cat. nr. 136.

178 **Tasbeugel met diverse bijbelse voorstellingen**
Hendrik Flieringa, Leeuwarden 1808
Zilver, 11,5 x 19 cm
Rijksmuseum Het Catharijneconvent, Utrecht (RMCC m 8; bruikleen van het Fries Museum, Leeuwarden)

Van links naar rechts: de aanbidding der herders, Christus wast de voeten der discipelen en Christus en de Samaritaanse vrouw.

179 **Kerkboek met zilverbeslag met diverse bijbelse voorstellingen**
Roelof Snoek, Leeuwarden, ca. 1775
Zilver, 17,7 x 11,7 x 7 cm
Fries Museum, Leeuwarden (FM 1946-261)
Lit.: cat. Leeuwarden 1985, 230

Aan de voorzijde op het middenstuk de aanbidding der herders, op de bovenste twee hoekstukken de Standvastigheid, op de onderste twee het Geloof, aan de achterzijde Christus en de Samaritaanse vrouw, op de bovenste twee hoekstukken de Hoop, op de onderste twee de Liefde. Op de bovenste klamp de zegenende Christus, op de zijstukken de evangelisten Johannes en Matteüs. Op de onderste klamp Johannes de Doper, op de zijstukken de evangelisten Markus en Lukas.

180 **Nootmuskaatraspdoos**
D. Goedhart, Amsterdam 1796
Zilver, 4 x 6 x 3,3 cm
Collectie Wttewaall, 's-Gravenhage
Lit.: Wttewaall 1987, p. 186

Op de bovenzijde Salome met het hoofd van Johannes de Doper, op de onderzijde Christus en de Samaritaanse vrouw. Nootmuskaatraspdoosjes werden meegenomen op reis, zodat men overal waar men at vers geraspte nootmuskaat bij de hand had. In dit exemplaar bevindt zich een ijzeren rasp (zilver is daarvoor te zacht) en er is ruimte voor enkele noten.

181 **Flap-aan-de-wand met Christus en de Samaritaanse vrouw**
Hindeloopen, 18de eeuw
Eikehout, 89 x 68,5 x 61,5 cm
Rijksmuseum Het Zuiderzeemuseum, Enkhuizen (ZZM 1953-4373)
Lit.: Boonenburg 1958 (2), p. 87 e.v.; Jas 1990, p. 120

Een flap-aan-de-wand is een tafel die in opgeklapte toestand met de bovenkant van het blad tegen de muur werd gezet, waardoor de onderkant het meest zichtbaar was. Daarom werd juist de onderzijde van de tafel beschilderd.

182 **Knipprent met Christus en de Samaritaanse vrouw bij de put**
Arnoldus van Sprang, 1710
19,7 x 19,7 cm
Stedelijk Museum De Lakenhal, Leiden (1855)

183 **Tegel met Christus en de Samaritaanse vrouw bij de put**
2de helft 18de eeuw
Aardewerk, 12,8 x 12,8 cm
Museum Het Princessehof/Nederlands Keramiekmuseum, Leeuwarden (NO 8942)

184 **Prikslede met op de achterzijde de drie koningen**
Hindeloopen, 18de eeuw
Eikehout, 38 x 86 x 24,5 cm
Particuliere collectie

Juist in de tijd rondom Drie Koningen (6 januari) zal men gebruik hebben gemaakt van een prikslede om zich voort te bewegen op het ijs.

185 **Roerklik**
18de eeuw
Hout en ijzer, 28 x 120 x 10 cm
Maritiem Museum Prins Hendrik, Rotterdam (M 454)

Aan de ene zijde Christus redt Petrus uit het water, aan de andere zijde Christus die de storm op het meer bedaart (Mat. 8: 23-27). De voorstellingen op dit sierstuk op het achtereinde van de helmstok zijn dus zeer toepasselijk.

186 **Tabaksdoos met de wonderbare visvangst**
18de eeuw
Koper, 8 x 13,5 x 2,1 cm
Rijksmuseum Het Catharijneconvent, Utrecht (BMH m 3879)

Het onderschrift luidt 'Here wij hebbe den helen nagt gevist en niets gevange'. Op de onderzijde 'Maar op U woort zal ik het net uytwerpen'.

187 **Tabaksdoos**
18de eeuw
Koper, 6,2 x 16 x 3,5 cm
Rijksmuseum Het Catharijneconvent, Utrecht (BMH m 1052)

Op de bovenzijde de gelijkenis van de ponden (Luc 19: 11-27) met bijschrift 'den Heer beloont sijn knegt die door standvastighijt / suijver en opregt sijn rent heeft aengelegt'. Op de onderzijde het laatste avondmaal, bijschrift 'Als Jesus hat geviert de maaltijt na de wet / heeft hij een ander feest t nagtmaal ingeset'. Op de voorzijde de aankondiging van Christus' geboorte, bijschrift 'een maagt die rijn en suyver was / ontfang den schepper godt en heer'.

188 **Tasbeugel met de geschiedenis van de verloren zoon**
Johannes Feddema, Leeuwarden 1797
Zilver, 8 x 17,3 cm
Collectie Wttewaall, 's-Gravenhage

De verloren zoon is op deze tasbeugel gekleed in een eigentijds 18de-eeuws kostuum.

189 **Plaquette met voorstelling van de verloren zoon**
18de eeuw
Aardewerk, 30,5 x 36 cm
Rijksmuseum, Amsterdam (NM 12400-23)

190 **Scheerbekken**
Delft, 1730
Aardewerk, h. 6,1 cm, diam. 26,1 cm
Collectie Haags Gemeentemuseum, 's-Gravenhage (OC 67-1904)

In het midden Jonas wordt overboord gegooid en opgeslokt door de walvis. Voorstellingen rondom (met de klok mee): Jonas wordt door de walvis op het land geworpen, de verloren zoon verlaat zijn ouderlijk huis, de verloren zoon viert feest, Christus en de Emmaüsgangers, de verloren zoon bij de varkens, de terugkeer van de verloren zoon, Jonas onder de wonderboom.

191 **Haardscherm met de verloren zoon**
Ca. 1750
Eikehout, 91 x 57,5 x 28,5 cm
Rijksmuseum Het Zuiderzeemuseum, Enkhuizen (ZZM 6513)

Op de ene zijde de verloren zoon wordt weggejaagd uit de herberg, op de andere zijde de zoon bij de varkens. Het motief van de verloren zoon was met name in de Zaanstreek geliefd.

192 **Tasbeugel met de vijf wijze en de vijf dwaze maagden**
Rembartus Rembrants, Amsterdam 1744
Zilver, 8,5 x 15,5 cm
Collectie Wttewaall, 's-Gravenhage
Lit.: Wttewaall 1987, p. 38

Vijf meisjes kloppen tevergeefs op de gesloten deur, de andere vijf meisjes worden begroet door een engel. Onder deze voorstelling de figuren de Hoop (met anker en duif) en de Gerechtigheid (met zwaard en weegschaal). Op de tashaak een voorstelling van Christus en Zacheüs.

193 **Doodslaken met de vijf wijze en de vijf dwaze maagden**
Nederland, 1750
Geborduurd linnen, 151 x 209 cm
Rijksmuseum Het Catharijneconvent, Utrecht (STCC t 51)

Geborduurd is de tekst 'Als dan sal het koninghrik der hemelen gelik sin tien maagden welke hare lampen naamen ende gingen uit den bruidegom tegemoet ende vif van haar waaren wise ende vif van haar dwase / die waes waaren hare lampen nemende en geen oli met haar maar de wiise naamen oli in haare vaaten met haare lampen'.

194 **Beddebankje met de vijf wijze en de vijf dwaze maagden**
Ameland, 18de eeuw
Eikehout, 45 x 86,5 x 35,5 cm
Rijksmuseum Het Catharijneconvent, Utrecht (STCC V 31)
Lit.: Boonenburg 1958 (1), p. 22 e.v.

Het motief van de vijf wijze en de vijf dwaze maagden was vooral populair op Amelander beddebankjes. Onbekend is waar deze bankjes werden beschilderd, in de Zaanstreek (de bankjes worden ook wel Sardammer bankjes genoemd) of op het eiland zelf. In de Zaanstreek kwamen beddebankjes voor die een gelijke vorm hadden, maar deze waren beschilderd met het aldaar geliefde motief van de verloren zoon.

195 **Beddeplank met Christus en de Emmaüsgangers**
Het Gooi, 18de eeuw
Lindehout, 17 x 125 cm
Rijksmuseum Het Catharijneconvent, Utrecht (ABM V 70)

De plank is afkomstig van een boerderij in Blaricum en voorkwam dat men uit de bedstede viel. De tekst onder de voorstelling luidt 'Blijft bij ons want het word avond Luc. 24'.

107 Tasbeugel met de vijf dwaze en vijf wijze meisjes (cat. nr. 192)

Bibliografie

Alpers 1988
S. Alpers, *Rembrandt's enterprise. The studio and the market*, London 1988

Bedaux 1987
J.B. Bedaux, Fruit and fertility. Fruit symbolism in Netherlandish portraiture of the sixteenth and seventeenth centuries, *Simiolus* 17 (1987) 150-168

Bekkers-Brooijmans 1984
A. Bekkers-Brooijmans, *Het schilderij Jozef en de vrouw van Potifar*, Z.pl. 1984 (scriptie)

Boiten-Heijbroek 1983
M. Boiten-Heijbroek, Verhalende volkskunst. Notities over beschilderd huisraad in het Fries Museum, *De Vrije Fries* 63 (1983) 18-33

Boonenburg 1958 (1)
K. Boonenburg, Beschilderde boerenmeubelen in het Zuiderzeegebied, *Bulletin KNOB 6e serie* 11 (1958) 9-28

Boonenburg 1958 (2)
K. Boonenburg, Bijbelse voorstellingen op beschilderde objecten van Hindelooper volkskunst, *Uit het peperhuis 2e serie* (1958) 5

Boonenburg 1960
K. Boonenburg, Nadere beschouwing van de bijbelse taferelen voorkomend op meubelen en andere objecten van de jubileumtentoonstelling 'Paneel en penseel', *Uit het peperhuis 2e serie* (1960) 9/10

Boschma 1969
C. Boschma, Friese en Noordhollandse knottekistjes, *Antiek* 3 (1968/1969) 559-566

Braber 1950
H. Braber e.a., *Van klep tot krat*, Amsterdam 1950

Caron 1989
M. Caron, Lot en zijn dochters op een albasten reliëf, *Catharijnebrief* (1989) 25, p. 4-5

Cat. Amsterdam 1952 (1)
Catalogus van goud en zilverwerken, 2de dr., Amsterdam (Rijksmuseum) 1952

Cat. Amsterdam 1952 (2)
Catalogus van meubelen en betimmeringen, 3de dr., Amsterdam (Rijksmuseum) 1952

Cat. Amsterdam 1986
O. ter Kuile, *Catalogus koper en brons*, Rijksmuseum (Amsterdam) 1986

Cat. Kortrijk 1986
A.G. Pauwels, *Damast*, Kortrijk (Museum voor Oudheidkunde en Sierkunst) 1986

Cat. Leeuwarden 1985
Catalogus Fries zilver, 2de dr., Leeuwarden (Fries Museum), Arnhem 1985

Cat. Rotterdam 1991
Catalogus pre-industriële gebruiksvoorwerpen 1150-1800, Rotterdam (Museum Boymans-van Beuningen) 1991

Cat. tent. Amsterdam 1981
A. Blankert e.a. (red.), *God en de goden. Verhalen uit de bijbelse en klassieke oudheid door Rembrandt en zijn tijdgenoten*, Amsterdam (Rijksmuseum), Den Haag 1981

Cat. tent. Amsterdam 1986
J.P. Filedt Kok e.a. (red.), *Kunst voor de beeldenstorm. Noordnederlandse kunst 1525-1580*, Amsterdam (Rijksmuseum) 1986

Cat. tent. Apeldoorn 1989
P. van Boheemen e.a. (red.), *Kent, en versint Eer datje mint. Vrijen en trouwen 1500-1800*, Apeldoorn (Historisch Museum Marialust), Zwolle 1989

Cat. tent. Arnhem 1982
D.G. Bakker-Stijkel, H. Stegeman, *Wie 't breed heeft, laat 't breed hangen*, Arnhem (Nederlands Openluchtmuseum) 1982

Cat. tent. Delft 1977
Bijbels & burgers. Vijf eeuwen leven met de bijbel, Delft (Stedelijk Museum Het Prinsenhof) 1977

Cat. tent. Haarlem 1986
I.M. Veldman, *Leerrijke reeksen van Maarten van Heemskerck*, Haarlem (Frans Halsmuseum), 's-Gravenhage 1986

Cat. tent. Leiden 1980
Geleend goed. Tegelcollectie G. de Goederen, Leiden (Stedelijk Museum de Lakenhal) 1980

Cat. tent. Leiden 1990
Doorgaens verciert met kopere platen. Nederlandse geïllustreerde boeken uit de zeventiende eeuw (Kleine publikaties van de Leidse universiteitsbibliotheek; 8), Leiden (Universiteitsbibliotheek) 1990

Cat. tent. Nijmegen 1985
Tussen heks en heilige. Het vrouwbeeld op de drempel van de moderne tijd, 15de/16de eeuw, Nijmegen (Nijmeegs Museum 'Commanderie van Sint-Jan') 1985

Cat. tent. Rotterdam 1991
S. de Bodt, *Gedateerd keramiek. Gebruiksvoorwerpen met jaartal uit de collectie Van Beuningen-de Vriese*, Rotterdam (Museum Boymans-van Beuningen) 1991

Cat. tent. Utrecht 1988
M. Caron (red.), *Helse en hemelse vrouwen. Schrikbeelden en voorbeelden van de vrouw in de christelijke cultuur*, Utrecht (Rijksmuseum Het Catharijneconvent) 1988

Cat. tent. Zeist 1973
Catalogus van de tentoonstelling Bijbel en Prent (Verzameling Wilco C. Poortman), Zeist (Slot Zeist), Amsterdam 1973

Dam 1982
J.P. van Dam, Geleyersgoet en Hollands porceleyn. Ontwikkelingen in de Nederlandse aardewerk-industrie 1560-1660, *Mededelingenblad Nederlandse Vereniging van Vrienden van de Ceramiek* 108 (1982) 4, p. 3-92

Defoer 1977
H.L.M. Defoer, Rembrandt van Rijn, de Doop van de Kamerling, *Oud Holland* 91 (1977) 2-26

Defoer 1991
H.L.M. Defoer, Drieluik met David en Abigaël, *Catharijnebrief* (1991) 33, p. 17-18

Dirkse 1983
P. Dirkse, Een luthers bijbelstuk door Nicolaes Eliasz Pickenoy, *Antiek* 18 (1983/1984) 233-239

Duco 1987
D.H. Duco, *De Nederlandse kleipijp. Handboek voor dateren en determineren*, Leiden 1987

Fontaine Verwey 1975
H. de la Fontaine Verwey, Het Huis der Liefde en zijn publikaties, in: *Uit de wereld van het boek I. Humanisten, dwepers en rebellen in de zestiende eeuw*, Amsterdam 1975, p. 85-111

Fontaine Verwey 1976(1)
H. de la Fontaine Verwey, De gouden eeuw van de Nederlandse boekillustratie, 1600-1635, in: *Uit de wereld van het boek II. Drukkers, liefhebbers en piraten in de zeventiende eeuw*, Amsterdam 1976, p. 49-75

Fontaine Verwey 1976(2)
H. de la Fontaine Verwey, De Nederlandse drukkers en de Bijbel, in: *Uit de wereld van het boek II. Drukkers, liefhebbers en piraten in de zeventiende eeuw*, Amsterdam 1976, p. 77-102

Fontaine Verwey 1976(3)
H. de la Fontaine Verwey, Rembrandt als illustrator, in: *Uit de wereld van het boek II. Drukkers, liefhebbers en piraten in de zeventiende eeuw*, Amsterdam 1976, p. 129-142

Franits 1986
W. Franits, The family saying grace: a theme in Dutch art of the seventeenth century, *Simiolus* 16 (1986) 36-49

Goosen 1990
L. Goosen, *Van Abraham tot Zacharia. Thema's uit het Oude Testament in religie, beeldende kunst, literatuur, muziek en theater*, Nijmegen 1990

Guldener 1947
H.T. Guldener, *Het Jozefverhaal bij Rembrandt en zijn school*, Utrecht 1947 (proefschrift)

Haeger 1986
B. Haeger, The prodigal son in sixteenth and seventeenth-century Netherlandish art: depictions of the parable and the evolution of a Catholic image, *Simiolus* 16 (1986) 128-138

Hayward 1952
J.F. Hayward, *Connoisseur* (1952) 2

Hellebrandt 1977
H. Hellebrandt, Raerener Steinzug, in: H. Lepper (ed.), *Steinzug aus dem Raerener und Aachener Raum* (Aachener Beiträge für Baugeschichte und Heimatkunst; 4), Aken 1977

Hof 1990
E. van 't Hof, *Van Adam tot Zevende hemel. Bijbelwijzer*, Groningen 1990

Hollstein
F.W.H. Hollstein, *Dutch and Flemish engravings, etchings and woodcuts ca. 1400-1700*, dl. 1- , Amsterdam 1949-

Hoynck van Papendrecht 1920
A. Hoynck van Papendrecht, *De Rotterdamsche plateel- en tegelbakkers en hun product, 1590-1851*, Rotterdam 1920

Illustrated Bartsch
The Illustrated Bartsch, dl. 1- , New York 1978-

Jaakke/Tuinstra 1990
A.W.G. Jaakke en E.W. Tuinstra (red.), *Om een verstaanbare bijbel. Nederlandse bijbelvertalingen na de Statenbijbel*, Haarlem/Brussel 1990

Jas 1990
J. Jas, *Tot cieraet en gebruyk. De collectie beschilderd meubilair van het Zuiderzeemuseum*, Z.pl. 1990 (scriptie)

Jonge 1971
C.H. de Jonge, *Nederlandse tegels*, Amsterdam 1971

Koers 1985
N.H. Koers, Statenbijbel met prenten, *Catharijnebrief* (1985) 11, p. 5-6

Kohnemann 1982
M. Kohnemann, *Auflagen auf Raerener Steinzug. Ein Bildwerk*, Raeren 1982

Korf 1967
D. Korf, Adam en Eva, *Antiek* 2 (1967/1968) 27-33, 62-71

Korf 1971
D. Korf, Antwerps plateel, *Mededelingenblad Nederlandse Vereniging van Vrienden van de Ceramiek* 62/63 (1971) 1-80

Kruitwagen 1913
B. Kruitwagen, *Catalogus van de handschriften en boeken van het Bisschoppelijk Museum te Haarlem*, Amsterdam 1913

Kruissink 1970 (1)
G.R. Kruissink, *Volkskunst en voorbeeld*, Enkhuizen 1970

Kruissink 1970 (2)
G.R. Kruissink, Bijbelse voorstellingen op scheepsornamenten en hun voorbeelden in bijbelse prenten, *Antiek* 5 (1970/1971) 33-44

Lunsingh Scheurleer 1961
Th.H. Lunsingh Scheurleer, *Van haardvuur tot beeldscherm. Vijf eeuwen interieur- en meubelkunst in Nederland*, Leiden 1961

Marijnen 1983
M. Marijnen, *Rombout Jansz. van Troyen: een 17e eeuwse meester uit de vergetelheid gehaald*, Utrecht 1983 (scriptie)

Mönnich/Plas 1977
C.W. Mönnich, M. van der Plas, *Het woord in beeld. Vijf eeuwen bijbel in het dagelijkse leven*, Baarn 1977

Nijhoff/Kronenberg
W. Nijhoff en M.E. Kronenberg, *Nederlandsche bibliographie van 1500 tot 1540*, 3 dln., 's-Gravenhage 1923-1958

Pluis 1967
J. Pluis, *Tegels met bijbelse voorstellingen*, Haarlem 1967

Poortman 1983-1986
W.C. Poortman, *Bijbel en prent*, 2 dln., 's-Gravenhage 1983-1986

Schadee 1989
N.I. Schadee, *Met rad en diamant. Gegraveerde glazen uit Rotterdamse collecties,* Rotterdam 1989

Schillemans 1989
R. Schillemans, *Bijbelschilderkunst rond Rembrandt,* Utrecht 1989

Schipper-van Lottum 1980
M.G.A. Schipper-van Lottum, *Over merklappen gesproken... De geschiedenis van de Nederlandse merklap vooral belicht vanuit Noord-Holland,* Amsterdam 1980

Steinbart 1929
K. Steinbart, Nachlese im Werk des Jacob Cornelisz, *Marburger Jahrbuch für Kunstwissenschaft* 5 (1929) 1-48

Thiel 1987
P.J.J. van Thiel, Poor parents, rich children and Family saying grace: two related aspects of the iconography of late sixteenth and seventeenth-century Dutch domestic morality, *Simiolus* 17 (1987) 90-149

Triebels 1960
L.F. Triebels, Bijbelse voorstellingen op beschilderde boeren-meubelen, *Bulletin KNOB 6de serie* 13 (1960) 281-308

Triebels 1961
L.F. Triebels, De invloed van de prentkunst op de volkskunst, *Bulletin KNOB 6de serie* 14 (1961) 223-246

Veldman 1986
I.M. Veldman, Lessons for ladies: a selection of sixteenth and seventeenth-century Dutch prints, *Simiolus* 16 (1986) 113-127

Vis/de Geus 1926
E.M. Vis, C. de Geus, *Altholländische Fliesen,* 2 dln., Amsterdam 1926

Visser 1988
P. Visser, Jan Philipsz Schabaelje en Pieter van der Borcht's etchings in the first and the final state. A contribution to the reconstruction of the printing history of H.J. Barrefelt's Imagines et Figurae Bibliorum, *Quaerendo* 18 (1988) 35-76

Voet 1932
E. Voet, *Merken van Friesche goud- en zilversmeden,* 's-Gravenhage 1932

Wttewaall 1987
B.W.G. Wttewaall, *Nederlands klein zilver 1650-1880,* Amsterdam 1987

Ysselstein 1962
G.T. van Ysselstein, *White figurated linen damast from the 15th to the beginning of the 19th century,* Den Haag 1962

Register op vindplaatsen in de bijbel

Register op tentoongestelde werken

Leeuwarden, Museum Het Princessehof/Nederlands Keramiekmuseum
8916, cat. nr. 158
GMP 1981-45, cat. nr. 53, afb. 53
NO 8942, cat. nr. 183
NO 8943, cat. nr. 80

Leiden, Bibliotheca Thysiana
cat. nr. 83

Leiden, Bibliotheek der Rijksuniversiteits te Leiden
1228 G 36, cat. nr. 85

Leiden, Het Pijpenkabinet
cat. nr. 63

Leiden, Stedelijk Museum de Lakenhal
1855, cat. nr. 182
De Goederen, 312, cat. nr. 131

Otterlo, Het Nederlands Tegelmuseum
33, cat. nr. 119
191, cat. nr. 142
607, cat. nr. 106, afb. 84
2544, cat. nr. 59
3049, 3051, cat. nr. 61
04000, cat. nr. 112

Rotterdam, Museum Boymans-van Beuningen
A 3364, cat. nr. 55
A 3379, cat. nr. 144, afb. 101
A 4325b, cat. nr. 56, afb. 76
F 3110 (collectie Van Beuningen-de Vriese), cat. nr. 21
F 6183 (collectie Van Beuningen-de Vriese), cat. nr. 52
MBZ 212, cat. nr. 67, afb. 13

Rotterdam, Historisch Museum Het Schielandhuis
5041, cat. nr. 148
5085, cat. nr. 130, afb. 99
40063, cat. nr. 5, afb. 62

Rotterdam, Maritiem Museum Prins Hendrik
M 454, cat. nr. 185

Schoonhoven, Nederlands Goud-, Zilver- en Klokkenmuseum
HSK 60, cat. nr. 114
HSK 71, cat. nr. 125

Sneek, Fries Scheepvaart Museum
J-125, cat. nr. 75, afb. 12
Z-8, cat. nr. 110

Utrecht, Centraal Museum
Hist. cat. nr. 791, cat. nr. 18

Utrecht, Bibliotheek der Rijksuniversiteit te Utrecht
cat. nr. 91

Utrecht, Rijksmuseum Het Catharijneconvent
34 A 7, cat. nr. 99
ABM 32 E 7, cat. nr. 81
ABM bi 775, cat. nr. 51
ABM od 159 (62 F 8), cat. nr. 89
ABM pi 39, cat. nr. 28, afb. 6
ABM pi 120, cat. nr. 27, afb. 7, 8
ABM S 144, cat. nr. 103, afb. 58
ABM S 380, cat. nr. 1, afb. 2
ABM V 70, cat. nr. 195
BMH 7 E 5, cat. nr. 84
BMH 11 E 1 en 2, cat. nr. 90, afb. 17
BMH 11 E 4, cat. nr. 95, afb. 21
BMH 18 C 9 en 10, cat. nr. 87, afb. 14
BMH 33 A 2, cat. nr. 86
BMH 33 B 41, cat. nr. 88, afb. 16
BMH 38 D 25 II, cat. nr. 94, afb. 20
BMH g 174, cat. nr. 9, afb. 29, 30, 31
BMH g 282, cat. nr. 11, afb. 35
BMH g 933, cat. nr. 66
BMH m 1052, cat. nr. 187
BMH m 1436, cat. nr. 117
BMH m 3879, cat. nr. 186
BMH S 474a, cat. nr. 2, afb. 57
BMH S 474b, cat. nr. 143
BMH S 1469, cat. nr. 68
BMH t 13, cat. nr. 39
BMH V 522a-b, V 921, cat. nr. 20
BMH V 1141, cat. nr. 19
BMH V 1974, cat. nr. 132
BMH V 1975, cat. nr. 172, afb. 3
OKM od 19 (38 D 23), cat. nr. 93, afb. 20
RMCC b 105, cat. nr. 13
RMCC g 385, cat. nr. 64
RMCC od 21 (2 dln.), cat. nr. 82, afb. 4, 8
RMCC od 23 (62 A 15), cat. nr. 97
RMCC od 24 (62 A 16), cat. nr. 96
RMCC S 21, cat. nr. 8, afb. 40
RMCC S 133, cat. nr. 7, afb. 41
RMCC V 3, cat. nr. 77, afb. 68
RMCC V 5, cat. nr. 129, afb. 67
RMCC m 8, cat. nr. 178
RMCC V 9, cat. nr. 102, afb. 75
RMCC V 10, cat. nr. 105
RMCC V 13, cat. nr. 153
RMCC V 86, cat. nr. 154, afb. 1
SPKK od 26 (62 F 1), cat. nr. 92
SPKK t 1, cat. nr. 41
STCC t 51, cat. nr. 193
STCC V 31, cat. nr. 194
STCC V 79, a, b, d, e, f, cat. nr. 60, afb. 00
STCC V 79c, cat. nr. 79, afb. 15
RMCC 78/154 en 155, cat. nr. 100

Zaandijk, Zaanlandse Oudheidkamer
3134, cat. nr. 71
ZOV 2170, cat. nr. 107, afb. 85

Particuliere Collecties
cat. nr. 6
cat. nr. 17
cat. nr. 36, afb. 56
cat. nr. 42, afb. 52
cat. nr. 43, afb. 46
cat. nr. 44
cat. nr. 45
cat. nr. 47, afb. 51
cat. nr. 48, afb. 80
cat. nr. 62
cat. nr. 98
cat. nr. 160
cat. nr. 184

Colofon

Redactie catalogus en samenstelling tentoonstelling
T.G. Kootte

Uitgave
Waanders Uitgevers, Zwolle

Vormgeving
Gijs Dragt bNO, Zwolle

Zetwerk en druk
Waanders Drukkers, Zwolle

Foto's

Amsterdam, Rijksmuseum
Amsterdam, Rijksmuseum, Rijksprentenkabinet
Amsterdam, Sotheby's
Arnhem, Het Nederlands Openluchtmuseum
Enkhuizen, Rijksmuseum Het Zuiderzeemuseum
Gouda, Gemeentelijke Musea
's-Gravenhage, Collectie A. Aardewerk
's-Gravenhage, Collectie Wttewaall
's-Gravenhage, Haags Gemeentemuseum
's-Gravenhage, Museum Bredius
Haarlem, Gemeentearchief
Hoorn, Westfries Museum
Leeuwarden, Museum Het Princessehof/Nederlands Keramiekmuseum
Leiden, Prentenkabinet
Londen, British Museum
New York, Metropolitan Museum of Art
Otterlo, Het Nederlands Tegelmuseum
Parijs, Bibliothèque Nationale
Rotterdam, Museum Boymans-van Beuningen
Rotterdam, Historisch Museum
Sneek, Fotografie Erik Hesmerg
Utrecht, Rijksmuseum Het Catharijneconvent/Ruben de Heer
Wenen, Albertina
Wenen, Österreichische Nationalbibliothek
Westzaan, 'Foto Herdi'

CIP-gegevens Koninklijke Bibliotheek, Den Haag

Bijbel

De bijbel in huis : bijbelse verhalen op huisraad en meubilair in de zeventiende en achttiende eeuw / H.L.M. Defoer ... [et al.].
- Zwolle : Waanders. - Ill.
Uitg. in samenw. met Rijksmuseum Het Catharijneconvent, Utrecht.
ISBN 90-6630-336-0
NUGI 911/631
Trefw.: Rembrandt / Bijbel in de schilderkunst ; Nederland ; geschiedenis ; 17e eeuw / Bijbel in de schilderkunst ; Nederland ; geschiedenis ; 18e eeuw.